国家出版基金项目
NATIONAL PUBLICATION FOUNDATION

《三联经典文库》

第二辑

2012年国家出版基金项目

三联经典文库

188

鲁迅研究

夏征农 编

生活·讀書·新知 三联书店

图书在版编目(CIP)数据

鲁迅研究／夏征农编. -- 北京：生活·读书·新知三联书店, 2014.1
（三联经典文库第二辑）
ISBN 978-7-108-04598-0

Ⅰ.①鲁… Ⅱ.①夏… Ⅲ.①鲁迅研究 Ⅳ.①I210

中国版本图书馆CIP数据核字(2013)第152359号

188 鲁迅研究

责任编辑 曹明明
封扉设计 蔡立国
责任印制 宋 家
出版发行 生活·讀書·新知 三联书店
(北京市东城区美术馆东街22号)
邮 编 100010
经 销 新华书店
印 刷 北京鹏润伟业印刷有限公司
版 次 2014年1月北京第1版 2014年1月北京第1次印刷
开 本 787毫米×1092毫米 1/32 印张 7.375
字 数 102千字
定 价 27.00元

《三联经典文库》出版缘起

适逢生活·读书·新知三联书店八十华诞，为弘扬传统，接续文脉，回报读者，服务社会，我们决定策划出版《三联经典文库》。

1932 年 7 月，生活书店在上海创办，此后，读书出版社和新知书店相继成立。本文库第一辑、第二辑所选图书，来自于这三家出版单位及其分支机构，以及 1948 年生活·读书·新知三联书店成立后的出版物，始于 1932 年，截至 1951 年，两辑各一百种。此为第二辑，涉及政治、经济、社会、军事、思想文化诸领域，涵盖专著、文集、散文、小说、诗歌、传记、报道等体裁，既有直面现实、追求真理、讴歌真善美、抨击假恶丑的原创作品，又有引介世界各国先进文化、传播新知、开启民智的迻译之作，真实记录了那一代知识分子的思考与探索、理想与愿景和对中华民族文化传承与创新所做出的努力与贡献。

本文库所辑入各书，多为名家名作，在版本方面，以初版一印本或经著译编者审定、修订、增订过的版本为首选，因此本文库又具有较为珍贵的版本价值和收藏价值。

本文库还将编选续辑，使之成为恢弘文化工程。诚挚希望读者给予批评和指正，帮助我们完善编选工作，再现三联经典作品之风采。殊为遗憾的是，由于年代久远，一些原著译编者及其后人未能取得联系并奉付稿酬，诚盼版权所有者与我们联系。祈愿三联前辈所创造的精神财富能薪火相传，为中华文化的伟大复兴增光添彩。

《三联经典文库》编辑委员会

2013 年 8 月

凡　　例

一、本文库为重排本，由繁体字竖排版改为简体字横排版。

一、以忠实于原作、整旧如旧为编辑原则，对当时使用的专有名词、外文译名，以及民国时期的语言和特色予以保留。

一、原书注释如旧，编者所出的注释，均以“编者注”标明，以示与原书注释的区别。

一、对原书残缺或字迹漫漶之处，以□示代。

一、对繁简文本转换时的“如右”、“见左”一类，对应改为“如上（前）”、“见下（后）”。

一、对原书中各种错讹脱衍之处，直接订正，不再以其他符号标示。

一、对数字、标点符号的用法，在不损害原文语义的情况下，做必要的规范。

一、本文库各书均前插原书书影、原书版权页和文库版“本书出版说明”。

一、本书出版说明的撰写，以客观中立为原则，扼要介绍本书的内容、版本流转、著译编者的情况。

本书出版说明

本书以文集的形式，收录了许寿裳、艾思奇、周建人、雪韦、徐懋庸、章汉夫、梅雨、胡绳、曹白和欧阳山等鲁迅亲友在鲁迅去世之后撰写的回忆和研究鲁迅一生各方面成就的文章，共十篇。内容涉及回忆鲁迅的生活，评述鲁迅在中国民族解放运动中的作用以及反映鲁迅的写作理论、杂文及其在提倡新文学、白话文和推广木刻艺术方面的成果和贡献。从多角度、深入地展现了鲁迅先生在学术方面的卓越成就，以及在民族解放斗争中彰显出的人格魅力。

本书于 1937 年 6 月由生活书店初版。此次出版即以此版本为底本。

夏征农（1904-2008），原名夏正和，字子美。曾用笔名征农、黎夫、一知、余求是、未名、闻问、而已、子美、美等发表作品。江西丰城人。1926 年加入中国共产党，1927 年参加南昌起义。其后入复旦大学学习。1933 年加入“左联”。曾担任《太白》、《读书生活》等杂志编辑。抗日战争和国共内战期间，历任新四军政治部、统战部、民运部部长，苏中军政委员会秘书长。中华人民共和国成立后，任山东省委副书记等职。1978 年任复旦大学党委第一书记，1979 年出任中共上海市委常委、书记处书记。此后任上海社联主席、上海文联主席、《辞海》主编、《中国大百科全书》总编委员会副主任等职。主编 1979、1989、1999 年版本的《辞海》，著有《文学问答集》、《野火集》、《甲申记》和《夏征农文集》等。

生活 · 读书 · 新知三联书店

2013 年 8 月

生活书店 1937 年 6 月初版书影

魯迅研究

每册實價國幣伍角
外埠酌加寄費

編者 夏征農
發行者 生活書店 上海福州路第三八四號
印刷者 生活印刷所

中華民國二十六年六月初版

原书版权页

目 次

插图目次

鲁迅和夫人许广平及公子海婴于上海（一九三四年九月）

留学日本时代

在日本仙台医学专门学校

在北平与段、章辈斗争时代

在厦门

在广州（一九二七年）

在上海（一九三〇年）

一九三二年在北平演讲

一九三三年在上海孙中山夫人宅与萧伯纳会晤

在上海与日本友人聚谈

在上海（一九三四年）

逝世前数日在第一次全国木刻展览会与青年木刻家们欢谈

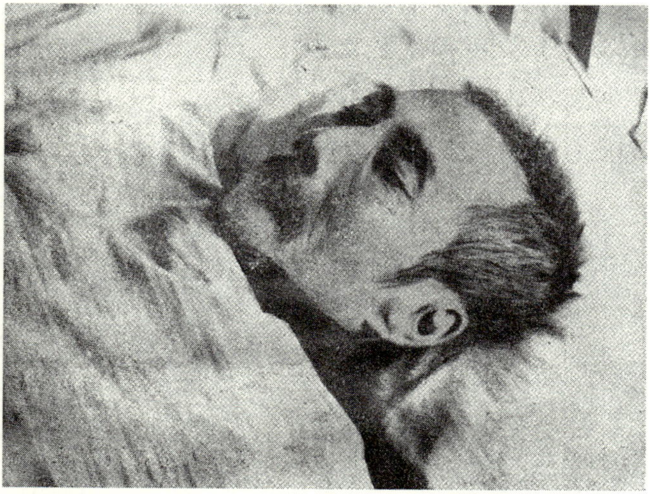

遗容

治丧委员与执绋者蔡元培、章乃器等

一万余群众参与殡仪之行列

在万国公墓礼场举行葬仪时宋庆龄女士演说

写字桌

鲁迅先生另一藏书处

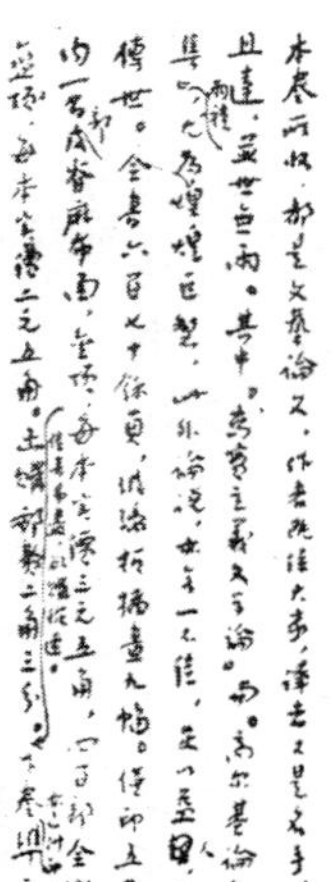

鲁迅先生手迹

我们从鲁迅先生学取些什么（代序）

编　者

自己背着因袭的重担，肩住了黑暗的闸门，放他们到宽阔光明的地方去……

——鲁迅:《坟》

当黑暗和光明到了最后的决斗：法西主义与和平主义，侵掠者汉奸与被压迫人民大众正在肉搏的时候，突然我们那最敬爱的“肩住了黑暗的闸门”的民族革命导师——鲁迅先生逝世了。

鲁迅先生是一个伟大的作家，也是一个勇敢的战士——中华民族的灵魂。列宁称托尔斯泰为“俄国革命的镜子”，但鲁迅先生之服务于中国革命是决不单是尽了“镜子”的作用的，他是典型的现实主义者；他暴露了黑暗社会的全面，他揭发了中国民族的各种缺点。不仅这样，他从黑暗中看出了光明；他明白地宣言："憎恶这熟识的本阶级，……以为惟有新兴无产者才有将来。"(《二心集 · 序言》) 他正确地指出："死者遗给后来的功德，是撕去了许多东西的人相，露出那出于意料之外的阴毒的心，教给继续战斗者以别种方法的战斗。"(《续华盖集[1] · 空谈》)

鲁迅先生虽不如高尔基一样出身于流浪儿，但他和中国革命的联系却与高尔基和俄国革命的联系没有什么差别。**他的全部生活，完全反映出了中国革命的各个阶段。他始终服务于革命，始终是站在被压迫者方面说话。**

辛亥革命的初期，他是抱着一种"促进国人对于维新的信仰"的希望去学医的。到了这种希望粉碎了，于是他就马上来"提倡文艺运动"，决定以文艺来改变国人的"精神"；就从那展开中国革命新面目的五四时代起，开始了他的十八年的艰苦的战斗生活。一登场，他便毫无顾忌喊出了旧礼教的灭亡，唱出了旧社会的崩溃（看《呐喊》)。"他不单是对于热情者们有同感"，而完

---

[1] 原文如此，即《华盖集续编》。后文中《华盖续集》亦如此。——编者注

全“与前驱者取同一的步调”。后来，作为那时新文化运动指导者的《新青年》散掉了。他虽然因为“又经历了一回同一战阵中的伙伴不久还是会这么变化”而感到彷徨起来，但他的“敢说，敢笑，敢哭，敢怒，敢骂，敢打”的精神，仍然存在，且更是使他认识了“现在的屠杀者”（看《彷徨》）。由于他的这种不屈的精神，经过了“五卅”的高潮，他的力量也就一天一天激发着。他从自己的经验，体会出了“同战阵中的伙伴”的“变化”，是“无碍于进行的”，只有“愈到后来，这队伍也就愈成为纯粹，精锐的队伍了”。他的脚愈踏得落实，他的笔愈刺得有力。他不但剥脱了躲在帝国主义军阀的指挥刀下的刽子手，他还指出了“只图自己说得畅快”的才子加流氓的毒汁（看《而已集》,《二心集》,《三闲集》等）。这种毒汁不仅传染在当时的文化阵营中，且传染在政治阵营中。一九三〇年在他领导下的新文化阵线的建立，就是肃清这种毒汁的结果。从那时起，他的生活，更是与中国革命打成了一片，成了中国民族革命的文化前卫，一直到他最后一次的呼息。我们看他在逝世一月前所发表的言论吧：

中国目前革命的政党，向全国人民所提出的抗×[1]统一战线的政策，我是看见的，我是拥护的，我无条件地加入这战线，那理由就因为我不但是一个作家，而且是一个中国人，所以这政策在我是认为非常正确的。(《答徐懋庸并关于抗×[2]统一战线问题》)

而且他不但是同意，不但是拥护，他以他一贯的战斗精神，毫不放松地发动了一次极有意义的论争，提供了许多可宝贵的战略，以及运用战略的方法。

民族危难到了现在这样的地步，联合战线这口号的提出，当然也是必要的。但我始终认为在民族解放斗争这条路线上，对于那些狭义的不正确的国民主义者，尤其是翻来覆去的投机主义者，却望他们能够改正他们的心思。因为所谓民族解放斗争，在战略的运用上讲，有

[1] 原文如此，× 应为“日”。——编者注

[2] 原文如此，× 应为“日”。——编者注

岳飞文天祥式的，也有最正确的，最现代的，
我们所应当采取的，究竟是前者还是后者呢？
这种地方，我们不能不特别重视，在战斗过程
中，决不能在战略或任何方面有点忽略，因为
就是小小的忽略，毫厘的错误，都是整个战斗
失败的源泉啊！（《几个主要问题》）

我们十分相信：这问题因他而展开了整个细目，这问题因他而更趋于具体化。这时候的鲁迅先生与十八年前的鲁迅先生，除了年龄上，几乎没有什么不同；有之，只是艰苦的环境，把他锻炼成了更结实，更倔强，更勇敢。他的一滴血，一滴汗，都是为全人类，为中华民族的解放而流！他是我们全民族的！

然而，现在，这伟大的导师，这勇敢的战士，我们的鲁迅先生，已经永远离我们而去了。

这无疑的是全民族的巨大损失。给予我们的，不单是个人的悲恸，而是一个晴天霹雳的警告：在敌人的疯狂进逼下，我们丧失了一股无比的力量！

我们不仅是要向这位巨人表示哀悼，我们更要号召

全国文化人，全国知识青年，以及全国的民族战士来继承这位巨人的遗志；把那肩起“黑暗的闸门”的责任，放到自己的肩上来。

我们不但要向这位巨人学习创作方法，我们更要向这位巨人学习一切革命的战术。

我们要学习他那百折不挠的战斗精神，这种精神不是从天上掉下的，而是从他的实生活中锻炼出来的。他抱着“在这可诅咒的地方击退了可诅咒的时代”的信心，于是他有正视黑暗的勇气，无论是临到大战斗或者是日常生活斗争中，他不曾做一次旁观者。他采取着各种战略向敌人射击。“对于旧社会和旧势力的斗争，必须坚决，持久不断，而且注重实力。”（《二心集》）他一直表现了他的这种机敏和韧性。他极力反对空谈，反对虚伪，反对那“只是憎恶，更没有对于将来的理想。或者也大呼改造社会，而问他要怎样的社会，却是不能实现的乌托邦”（《三闲集》）。他需要的是脚踏实地干。比如，他在论到现在的文学运动时，就明白告诉我们：“……我们需要的，不是作品后面添上去的口号和矫作的尾巴，而是那全部作品中的真实的生活，生龙活虎的战斗，跳动着的脉搏，思想和热情等等。”（《论现在我们的文学运动》）他反对宽容，他非常了解“对敌人宽容，即是对同志残忍”的教训。他指出“不打落水狗”，而让它慢慢爬起来咬自己的人，是“自家掘坑自家埋”（《论“费厄泼赖”应该缓行》）。他最近还宣言：“让他们怨恨去，我也一个都不宽恕。”（《死》）这正是一个典型的战士的姿态，这种姿态，决不是时下的“空头革命文学家”，以及一些专只会“站在树梢上说风凉话”的人所能模仿的。**不从鲁迅先生的实生活出发，便决不能认识鲁迅先生的伟大，自己离开了社会的实际斗争，也便决不配谈继续鲁迅先生的精神**。

鲁迅先生的生活思想的发展，并不是直线的，并不是自始至终毫无曲折地一直是站在最高峰。他常常**在虚心地学习：从前人的教训中，从自己的生活中，从青年大众中**。他曾经彷徨过，曾经陷入过“偏见”的泥坑里，但他的实际的努力很快地便把他纠正过来了。他对于自己和创造社的论战，就这样坦白地承认：“我有一件事要感谢创造社的，是他们‘挤’我看了几种科学的文学论，明白了先前的文学史家们说了一大堆还是纠缠不清的问题……以纠正我，——还因我而及于别人——的只信进化论的偏颇。”（《三闲集·序言》）我们看到鲁迅先生常常是青年的，那就是因为他时时浸润在青年们的情热中；他教育青年，青年也教育了他。我们**应该学取他的这种“自我批评”的精神，学取他的这种从生活中去教育自己的精神。没有这种精神，坚强便会变成固执，果敢便会变成狂暴**，这样的人，即使天天捧着鲁迅先生，还是永远和鲁迅先生格格不相入的。

鲁迅先生是死了，但我们十分相信，鲁迅先生已经教育出了无数万的新的战士！

鲁迅先生是死了，但我们十分相信，鲁迅先生的战斗精神，将随着中国民族解放而永远存在！

然而，我们仍要向全国号召：从今天起，**我们要把鲁迅先生贡献给全民族。我们要扩大来研究鲁迅，学习鲁迅。我们要使鲁迅先生的战斗精神，注射入全中国人民的血液里。**

我们要唱着：

你安息吧，导师，

我们会跟着你底路向前，

那一天就要到来，

我们站在你底墓前，报告你：

我们完成了你底志愿。

——鲁迅先生挽歌

鲁迅的生活

——在北平大学女子文理学院

许寿裳讲　　沈蕴芳记

前两天，王同学来说，定于今天下午三时半在本院开鲁迅座谈会，要我讲点关于鲁迅先生的生活情形，我便忻然的答应了，所以我今天所讲的题目是关于他的生活。鲁迅是预言家、是诗人、是战士。我在《怀亡友鲁迅》文中说过"他的五十六年全生活是一篇天地间的至文"，也就是一篇我们中华民族的杰作。这样伟大的一生决不是短时间所能说尽的，不过随便谈谈，得个大概罢了。

在开讲之前，我要问诸位一声，诸位大概在中学时代，甚而至于在小学时代已经读过了鲁迅的作品。读了之后，在没有会见他或者没有见过他的照相之前，那时诸位的想象中，鲁迅是怎样一个人？这种回忆，对于鲁迅的认识上是很有帮助的。我的一位朋友的女儿，十余年前，在孔德学校小学班已经读了鲁迅的作品。有一天，听说鲁迅来访她的父亲了，她便高兴之极，跳跃出去看，只觉得他的帽子边上似乎有花纹，很特别。等到挂上帽架，她仰着头仔细一望，原来不过是破裂的痕迹。后来，她对父亲说："周老伯的样子很奇怪。我当初想他一定是着西装，皮鞋，头发分得很光亮的。他的文章是这样漂亮，他的服装为什么这样不讲究呢？"

再讲一个近时的故事：这见于日本内山完造的鲁迅先生文中，用对话体记着有一天，鲁迅照常穿着粗朴的蓝布长衫，廉价的橡皮底的中国跑鞋，到大马路 Cathay Hotel 去看一个英国人。

> 可是，据说房间在七层楼，我就马上去搭电梯。那晓得司机的装着不理会的脸孔，我以为也许有谁要来罢，就这么等着。可是谁也没有来，于是我就催促他说"到七层楼"，一催，那司机的家伙便重新把我的神气从头顶到脚尖骨溜骨溜地再打量一道，于是乎说："走出

去！”终于被赶出了电梯。

那才怪呢！后来先生怎样呢？

没有办法，我便上扶梯到七层楼；于是乎碰见了目的的人，谈了两小时光景的话，回来的时候，那英国人送我到电梯上。恰巧，停下来的正是刚才的那一部电梯。英国人非常殷勤，所以这次没有赶出我，不，不是的，那个司机非常窘呢。——哈哈哈……（《译文》二卷三期，日本原文见《改造》十八卷十二号）

关于鲁迅容貌的印象：我在此引一个英国人的话，颇觉简而得要，这见于 H. E. Shadick 的《对鲁迅的景仰》文中。他是燕大英文系主任教授，不曾会见过鲁迅，只是从照相上观察，说道：

在我的面前呈现着一张脸，从耸立的头发到他的有力的颚骨，无处不洋溢出坚决和刚毅。一种坦然之貌，惟有是完美的诚恳的人才具备的。前额之下，双眼是尖锐的，而又是忧郁的。眼睛和嘴都呈露出他的仁慈心和深切的同情，一抹胡须却好像把他的仁慈掩盖过去。

这些特质同样地表现在他的作品中，在他的生命里……（原文见《燕大周刊》丛书之一《纪念中国文化巨人鲁迅》）

鲁迅的生活状况可分为七个时期：（一）幼年在家时期，一——十七岁；（二）江南矿路学堂时期，十八——二十一岁；（三）日本留学时期，二十二——二十九岁；（四）杭州绍兴教书时期，二十九——三十一岁；（五）北京工作时期，三十二——四十六岁；（六）厦门广州教书时期，四十六——四十七岁；（七）上海工作时期，四十七——五十六岁。

一、幼年在家时期 一至十七岁：预备时期（一八八一——一八九七年），这期的时代背景最大的有甲午中日之战。

鲁迅的幼年生活有他的回忆录——《旧事重提》，后改名为《朝花夕拾》——可供参考，现在略举几个特点如下：

（一）好看戏

（甲）《五猖会》（见《朝花夕拾》）。是一件罕逢的盛事，在七岁时候，正当高兴之际，突然受了打击，他的父亲要他读熟《鉴略》数十行，背不出不准去，后来虽然背出，不遗一字，却已弄到兴趣索然。

（乙）《社戏》（见《呐喊》）。

（丙）夜戏，目莲戏（见《朝花夕拾 · 无常》）。

（丁）《女吊》（见《中流》三期）：绍兴有两种特色的鬼，一种是表现对于死的无可奈何，而且随随便便的“无常”，一种便是“女吊”，也叫作“吊神”，是带复雠性的，比别的一切鬼魂更美，更强的鬼魂。鲁迅临死前二日——十月十七日下午在日本作家鹿地亘的寓所，也谈到这“女吊”，这可称鲁迅的最后谈话（日本池田幸子有一篇《最后一天的鲁迅》，记及此事，见日本杂志《文艺》四卷十二号）。

（戊）胡氏祠堂看戏：这点在他的著作里面是没有谈到，我从他的母亲那里听来的。在十余岁时候，胡家祠堂里演戏，他事先已经看好了一个地方——远处的石凳。不料临时为母亲所阻止，终于哭了执意要去看，至则大门已关，不得进去。后来知道这一天，因为看客太多，挤得石凳断了，摔下来，竟有被压断胫骨的。他之不得其门而入，幸哉幸哉！

他幼年爱好看戏，至于如此，可是后来厌恶旧剧了。

（二）好描画

（甲）描画：用一种荆川纸，蒙在小说的绣像上一个个描下来，像习字时候的影写一样。……最成片段的是《荡寇志》和《西游记》的绣像，都有一大本（见《朝花夕拾·从百草园到三味书屋》）。

（乙）搜集图画（见《朝花夕拾·阿长与山海经》和《二十四孝图》）：这和他后来中年的搜集、研究汉画像，晚年的提倡版画有密切的关系。

（三）不受骗

（甲）不听衍太太的摆布（见《朝花夕拾》八五页）。

（乙）对于《二十四孝图》的怀疑，“其中最使我不解，甚至于发生反感的，是‘老莱娱亲’和‘郭巨埋儿’两件事”（见《朝花夕拾》三五页）。这样从小就有独到之见，和上述的艺术兴趣，可见他在此时期，天才的萌芽已经显露出来了。

二、江南矿路学堂时期　十八至二十一岁：（一八九八——一九〇一年），这期的国家大事有戊戌变法和庚子义和团之役。

他的学堂生活从此开始，起初考入水师学堂，后才改入矿路学堂，《朝花夕拾》里有一篇《琐记》是可参考的。此外，还有几件事：

（一）爱看小说　新小说购阅不少。对于功课从不温习，也无须温习，而月考、大考，名列第一者十居其八。

（二）好骑马　往往由马上坠落，皮破血流，却不以为意，常说："落马一次，即增一次进步。"

（三）不喜交际　至于苦学的情况，如以八元旅费上南京，夹裤过冬，凡上下轮船总是坐独轮车，一边搁行李，一边留自己坐。

三、日本留学时期　二十二至二十九岁：修养时期（一九〇二——一九〇九年夏），这期的大事是俄兵占领奉天，日俄开战，革命思潮起于全国，和他个人关系较切的有章太炎师的下狱，徐锡麟、秋瑾的被杀等。

这留学时期又可分为三个小段：（一）东京弘文学

院时期，（二）仙台医学专门学校时期，（三）东京研究文学时期。

（一）东京弘文学院时期（一九〇二——一九〇四年夏）

此时，我初次和他相识，他在课余爱读哲学文学的书以及常常和我谈国民性问题，这些已见于拙著《怀亡友鲁迅》，兹不赘述。他曾为《浙江潮》撰文，有《斯巴达之魂》，《说鈤》等（见《集外集》），鈤即镭也。

（二）仙台医学专门学校时期（一九〇四——一九〇六年春）

他学医的动机：（甲）痛恨中医耽误了他的父亲的病，（乙）确知日本明治维新是大半发端于西医的事实。以上两点，参阅《呐喊》序文和《朝花夕拾·父亲的病》便知。但是据我所知，除此以外，还对于一件具体的事实起了弘愿，也可以说是一种痴想，就是：（丙）救济中国女子的小脚，要想解放那些所谓“三寸金莲”，使恢复到天足模样。后来，实地经过了人体解剖，悟到已断的筋骨没有法子可想。这样由热望而苦心研究，终至于断念绝望，使他对缠足女子同情，比普通人特别来得大，更由绝望而愤怒，痛恨赵宋以后历代摧残女子者的无心肝，所以他的著作里写到小脚都是字中含泪的。例如：

（1）见了绣花的弓鞋就摇头（《朝花夕拾》一一四页）。

（2）“至于缠足，更要算在土人的装饰法中，第一等的新发明了。……可是她们还能走路，还能做事；她们终是未达一间，想不到缠足这好法子。……世上有如此不知肉体上痛苦的女人，以及如此以残酷为乐，丑恶为美的男子，真是奇事怪事。”（《热风》三五页）

（3）小姑娘六斤新近裹脚，“在土场上一瘸一拐的往来”（《呐喊 · 风波》）。

（4）讨厌的“豆腐西施”，“两手搭在髀间，没有系裙，张着两脚，正像一个画图仪器里细脚伶仃的圆规”（《呐喊 · 故乡》）。

（5）爱姑的“两只钩刀样的脚”（《彷徨 · 离婚》）。

（6）“……女子的脚尤其是一个铁证，不小则已，小则必求其三寸，宁可走不成路，摇摇摆摆。”（《南腔北调集 · 由中国女人的脚推定中国人之非中庸》）

他的感触多端，从此着重在国民性劣点的研究了。

可见《呐喊》序文所载，在微生物学讲义的电影里，忽然看到咱们中国人的将被斩，就要退学，决意提倡文艺运动，这电影不过是一种刺激，并不是惟一的刺激。

（三）东京研究文学时期（一九〇六——一九〇九年夏）

一九〇二年的夏天，留日学生的人数还不过二三百，后来“速成班”日见增多，人数达到二万，真是浩浩荡荡，他们所习的科目不外乎法政、警察、农、工、商、医、陆军、教育等，学文艺的简直没有，据说学了文学将来是要饿死的。

然而鲁迅就从此致力于文艺运动，至死不懈。

此时，他首先介绍欧洲新文艺思潮，尤其是弱小民族，被压迫民族的革命文学。有两件事应该提到的：（甲）拟办杂志《新生》，（乙）译域外小说。这两件事说来颇长，好在他令弟知堂（作人）所作的《关于鲁迅（二）》（《宇宙风》三十期）文中已经叙明，我不必重复详说，只略略有所补充而已。《新生》虽然没有办成，可是书面的图案以及插图等等，记得是统统预备好了，一事不苟的；连它的西文译名，也不肯随俗用现代外国语，而必须用拉丁文曰 Vita Nuora。后来，鲁迅为河南杂志撰《文化偏至论》,《摩罗诗力说》(《坟》)，介绍英国拜伦、德国尼采、奈宾霍尔，挪威易卜生，及俄国、波兰、匈牙利的诗人等。《域外小说集》初印本的书面也是很优美的，图案是希腊的艺术，题字是篆文“域外小说△”，纸质甚佳，毛边不切。

大家都知道《新青年》杂志是新文化运动——文学革命，思想革命——的急先锋。它的民七，一月号，胡适之的《归国杂感》，说调查上海最通行的英文书籍，“都是和现在欧美的新思想毫无关系的，怪不得我后来问起一位有名的英文教习，竟连 Bernard Shaw 的名字也不曾听见过，不要说 Tshekhov 和 Andrejev 了，我想这都是现在一班教会学堂出身的英文教习的罪过”。殊不知周氏兄弟在民七的前十年，早已开始译 Tshekhov 和 Andrejev 的短篇小说了。

鲁迅实在是介绍和翻译欧洲新文艺的第一个人。

总之，他在游学时期，用心研究人性和国民性问题，养成了冷静而又冷静的头脑。惟其爱国家爱民族的心愈热烈，所以观察得愈冷静。这好比一个医道高明的医师，遇到了平生最亲爱的人，患着极度危险的痼疾，当仁不让，见义勇为，一心要把他治好。试问这个医师在这时候，是否极度冷静地诊察，还是蹦蹦跳跳，叫嚣不止呢？这冷静是他的作品所以深刻的根本原因。

四、杭州绍兴教书时期 二十九至三十一岁（一九〇九年夏——一九一一年冬），这时期的大事是辛亥革命。

民元前三年夏，他因为要负担家庭的费用，不得不归国做事了。在杭州任两级师范学堂生理学和化学教员一整年，在绍兴任中学堂教务长一年余，革命以后，任师范学校校长几个月。

在两级师范教化学的时候，有过这样的一件事："他在教室试验氢气燃烧，因为忘记携带火柴了，故于出去时告学生勿动收好了的氢气瓶，以免混入空气，在燃烧时炸裂。但是取火柴回来一点火，居然爆发了；等到手里的血溅满了白的西装硬袖和点名簿时，他发现前两行只留着空位：这里的学生，想来是趁他出去时放进空气之后移下去的，都避在后面了。"所以孙春台（福熙）的《我所见于"示众"者》里说："鲁迅先生是人道主义者，他想尽量的爱人，然而他受人欺侮，而且因为爱人而受人欺侮。倘若他不爱人，不给人以氢气瓶中混入空气燃烧时就要爆裂的知识，他不至于炸破手。……”（民十五，五月，《京报副刊》）

五、北京工作时期 三十二至四十六岁（民元——十五年秋，即一九一二——一九二六年秋）。这期的大事，国内有民元中华民国成立，民四日本“二十一条”的威胁及洪宪称帝，民六张勋复辟运动，民十四孙中山先生逝世及上海“五卅惨案”，民十五北京“三·一八惨案”及国民革命军北伐；国外有世界大战。

元年一月，临时政府成立于南京，鲁迅应教育总长蔡孑民先生之招，到部办事，公余老是钞沈下贤的集子。一日，曾偕我同董恂士（鸿祎）去访驻防旗营的残址，只见已经成了一片瓦砾场，偶尔剩着破屋几间，门窗全缺，情状是很可怜，使他记起了从前在矿路学堂读书的时候，骑马过此，不甘心受旗人的欺侮，扬鞭穷追，以致坠马的故事。

同年五月，到北京，住绍兴会馆，先在藤花馆，后在古槐书屋，这便是相传在槐树上缢过一个女人，从此多年没有人要住的。八年移居八道湾，十二年迁寓砖塔胡同，十三年移入宫门口西三条新屋。

在北京工作十五年，其间又可分为前后两段，以《新青年》撰文（民国七年）为界，前者重在辑录研究，后者重在创作。

前期住在会馆，散值的工作是:（一）钞古碑，（二）辑故书，这二事可参考知堂的《关于鲁迅》(《宇宙风》二九期),（三）读佛经。鲁迅的信仰是科学，不是宗教，他说佛教和孔教一样，都已经死亡，永不会复活了。所以他对于佛经只作人类思想史的材料看，藉此研究其人生观罢了。别人读佛经，就趋于消极，而他独不然。

至于他的创作短篇小说，开始在民国七年四月，发表在同年五月号的《新青年》，正值五四运动的前一年。其第一篇曰《狂人日记》，才用“鲁迅”作笔名，“从此以后，便一发而不可收”，他的创作力好像长江大河，滚滚不绝。这是鲁迅生活上的一个大发展，也是中国文学史上应该大书特书的一章。因为从此，文学革命才有了永不磨灭的伟绩，国语文学才有了不朽的划时代的杰作，而且使他成为我们中国思想界的先知，民族解放上最勇敢的战士。现在时间有限，我只就《狂人日记》和《阿 Q 正传》两篇作个举例的说明而已。

《狂人日记》是借了精神迫害狂者来猛烈地掊击礼教的。据鲁迅自己说："因那时的认为'表现的深切和格式的特别'，颇激动了一部分青年读者的心。然而这激动，却是向来怠慢了介绍欧洲大陆文学的缘故。一八三四年顷，俄国的果戈理（N. Cogol）就已经写了《狂人日记》……但后起的《狂人日记》意在暴露家族制度和礼教的弊害，却比果戈理的忧愤深广，也不如尼采的超人的渺茫。"（参阅《中国新文学大系 · 小说二集》导言）。这是实实在在的话，试问读到篇中所云：

> 我翻开历史一查，这历史没有年代，歪歪斜斜的每页上都写着"仁义道德"几个字，我横竖睡不着，仔细看了半夜，才从字缝里看出字来，满本都写着两个字是"吃人"！

又云：

有了四千年吃人履历的我，当初虽然不知道，现在明白，难见真的人！

有谁不感到礼教的迫害，有谁不想奋起而来攻击呢？他的其余作品有好多篇仿佛可作这《狂人日记》的说明，《祝福》便是一个例子。《祝福》的惨事，不惨在狼吃了阿毛，而惨在礼教吃了祥林嫂。

我那时在南昌，读到《狂人日记》就非常感动，觉得这很像周豫才的手笔，而署名却是姓鲁，天下岂有第二个豫才乎？于是写信去问他，果然回信来说确是“拙作”，而且那同一册里有署名唐俟的新诗也是他做的。到了九年的年底，我们见面谈到这事，他说：“因为《新青年》编辑者不愿意有别号一般的署名，我从前用过迅行的别号是你所知道的，所以临时命名如此：理由是（一）母亲姓鲁，（二）周鲁是同姓之国，（三）取愚鲁而迅速之意。”“至于唐俟呢？”他答道：“哦！因为陈师曾（衡恪）那时送我一方石章，并问刻作何字，我想了一想，对他说‘你叫做槐堂，我就叫俟堂罢’。”我听到这里就明白了这“俟”字的涵义。那时部里的长官某很想挤掉鲁迅，他就安静地等着，所谓“君子居易以俟命”也。把“俟堂”两个字颠倒过来，堂和唐两个字同声可以互易，于是成名曰“唐俟”，周，鲁，唐，又都是同姓之国也。可见他无论何时没有忘记破坏偶像的意思。

《阿Q正传》的署名是巴人，取“下里巴人”，并不高雅的意思(《华盖集续编·阿Q正传的成因》)。大家都知道这是一篇讽刺小说，在描写中国民族的魂灵。知堂在十一年三月十九《晨报副刊》上说过:“阿Q这人是中国一切的谱——新名词称作‘传统’——的结晶，没有自己的意志而以社会的因袭的惯例为其意志的人，所以在实社会里是不存在而又到处存在的。……(他)承受了噩梦似的四千年来的经验所造成的一切‘谱’上的规则，包含对于生命幸福名誉道德各种意见，提炼精粹，凝为个体，所以实在是一幅中国人品性的‘混合照相’，其中写中国人的缺乏求生意志，不知尊重生命，尤为痛切，因为我相信这是中国人的最大的病根。”(仲密:《自己的园地》八。后来印成单行本的时候，这一篇未见收入。)

《阿Q正传》，发表于民国十年十二月，到现今是整整的十五年了。我每次读到它，总感觉一种深刻和严肃，并且觉得在鲁迅的其余作品中，有许多处似乎可当作这篇的注解或说明来读，因为描写阿Q的劣性仿佛便是描写民族的劣性故也。现在随便举出几点，彼此参照，便可了然，例如：

（一）自大　阿Q和别人口角的时候，间或瞪着眼睛道：“我们先前——比你阔得多啦！你算是什么东西？”这宛然是以“中国地大物博，开化最早，道德天下第一”自负的国粹派的口吻，鲁迅所时常指摘的：“他们自己毫无特别才能，可以夸示于人，所以把这国拿来做个影子；他们把国里的习惯制度抬得很高，赞美的了不得；他们的国粹，既然这样有荣光，他们自然也有荣光了！”（《热风》十八、十九页）

（二）卑怯　阿Q“发起怒来，估量了对手，口讷的他便骂，气力小的他便打……”试读《随感录》四十八有云：“中国人对于异族，历来只有两样称呼：一样是禽兽，一样是圣上，从没有称他朋友，说他也同我们一样的。”（《热风》四三页）还有通讯云：“先生（旭生）

的信上说：惰性表现的形式不一，而最普通的，第一就是听天任命，第二就是中庸。我以为这两种态度的根柢，怕不可仅以惰性了之，其实乃是卑怯。遇见强者，不敢反抗，便以‘中庸’这些话来粉饰，聊以自慰。所以中国人倘有权力，看见别人奈何他不得，或者有‘多数’作他护符的时候，多是凶残横恣，宛然一个暴君，做事并不中庸；待到满口‘中庸’时，乃是势力已失，早非‘中庸’不可的时候了。一到全败，则又有‘命运’来做话柄，纵为奴隶，也处之泰然，但又无往而不合于圣道，这些现象，实在可以使中国人败亡，无论有没有外敌。要纠正这些，也只好先行发露各样劣点，撕下那好看的假面具来。”（《华盖集》二二集）还有,《忽然想到》七有云：“……可惜中国人但对于羊显凶兽相，而对于凶兽则显羊相，所以即使显着凶兽相，也还是卑怯的国民。这样下去，一定要完结的……”（《华盖集》五七、五八两页）

（三）善变——投机，迎合取巧　阿Q本来是深恶革命的，后来却也有些神往，想“革命也好罢”……试读《忽然想到》四里的话：“……其实这些人是一类，都是伶俐人，也都明白，中国虽完，自己的精神是不会苦的，——因为都能变出合式的态度来。倘有不信，请看清朝的汉人所做的颂扬武功的文章去，开口‘大兵’，闭口‘我军’，你能料得到被这‘大兵’，‘我军’所败的就是汉人的么？你将以为汉人带了兵将别的一种什么野蛮腐败民族歼灭了。然而这一流人是永远胜利的，大约也将永久存在。在中国，惟他们最适于生存，而他们生存着的时候，中国便永远免不掉反复着先前的命运。”（《华盖集》十二、十三两页）还有《算账》里说：“……我每遇到学者谈起清代的学术时，总不免同时想：‘扬州十日’，‘嘉定三屠’这些小事情，不提也好罢，但失去全国的土地，大家十足做了二百五十年奴隶，却换得这几页光荣的学术史……”（《花边文学》七九页）

（四）自欺——精神上的胜利法　阿Q在形式上打败之后，有种种妙法以自慰：或者算被儿子打了，或者说自己虫豸好不好，或者简直自己打两个嘴巴，就立刻心满意足了。这类自欺欺人，别设骗局的方法，在士大夫之间也何尝没有？“……有时遇到彰明的史实，瞒不下，如关羽岳飞的被杀，便只好别设骗局了。一是前世已造夙因，如岳飞，一是死后使他成神，如关羽。定命不可逃，成神的善报更满人意，所以杀人者不足责，被杀者也不足悲，冥冥中自有安排，使他们各得其所，正不必别人来费力。中国人的不敢正视各方面，用瞒和骗，造出奇妙的逃路来，而自以为正路。在这路上，就证明着国民性的怯弱、懒惰、而又巧滑。一天一天的满足着，即一天一天的堕落着，但却又觉得日见其光荣。在事实上，亡国一次，即添加几个殉难的忠臣，后来每不想光复旧物，而只去赞美那几个忠臣；遭劫一次，即造成一群不辱的烈女，事过之后，也每每不思惩凶，自卫，却只顾歌咏那一群烈女。仿佛亡国遭劫的事，反而给中国人发挥'两间正气'的机会，增高价值，即在此一举，应该一任其至，不足忧悲似的。自然，此上也无可为，因为我们已经借死人获得最上的光荣了。沪汉烈士的追悼会中，活的人们在一块很可景仰的高大的木主下互相打骂，也就是和我们的先辈走着同一的路。……”(《坟 · 论睁了眼看》)

此外，描写着的劣性还很多，限于时间，不及备举了。

十五年“三·一八惨案”后，四月奉军进京，有通缉名单的传言，我和鲁迅及其他相识十余人，避居D医院的一间堆积房里若干日，鲁迅在这样流离颠沛之中，还是不断地写文章，《朝花夕拾》里的《二十四孝图》，《五猖会》，《无常》，都是这时的作品。

这期的重要创作，已经结集者有：

小说《呐喊》

同上《彷徨》

论文《坟》

讲义《中国小说史略》

散文诗《野草》

回忆文《朝花夕拾》（前半部）

杂感集《热风》

同上《华盖集》

同上《华盖集续编》

六、厦门广州教书时期　四十六——四十七岁（十五年秋至十六年秋，即一九二六——一九二七年），时代背景是宁汉分裂，国民党清党运动。

这时期虽很短，只有一年，可是鲁迅感触多端，不很开口,“抱着梦幻而来，一遇实际，便被从梦境放逐了，不过剩下些索寞”。因之，生活极不安定，宿舍屡有更变。在厦门四个月，因为“不合时宜”，搬来搬去，终于被供在图书馆楼上的一间屋子里，虽对着春秋早暮景象不同的山光海气也不甚感动，所不能忘怀的，倒是一道城墙，据说是郑成功的遗迹。“一想到除了台湾，这厦门乃是满人入关以后我们中国的最后亡的地方，委实觉得可悲可喜。”（《华盖集续编》二二二页）到广州后，起初他和我同住在中山大学中最中央而最高的处所，通称“大钟楼”，后来搬出学校，租了白云楼的一组仍旧合居。“……我这楼外却不同：满天炎热的阳光，时而如绳的暴雨；前面的小港中是十几只疍户的船，一船一家，一家一世界，谈笑哭骂，具有大都市中的悲欢。也彷佛觉得不知那里有青春的生命沦亡，或者正被杀戮，或者正在呻吟，或者正在‘经营腐烂事业’和作这事业的材料。然而我却渐渐知道这虽然沉默的都市中，还有我的生命存在，纵已节节败退，我实未尝沦亡。”（《小约翰·引言》）诸位请读《两地书》，及《三闲集》里的《怎么写》,《在钟楼上》两篇，便可以知道那时期他的生活的大略。

我不知道他在厦门大学担任什么科目，至于在中山大学，则任文学论和中国文学史等，因为选修文学论的学生人数太多，以致上课时间排在晚上，教室用大礼堂。这期的著作如下：

通讯《两地书》（与景宋合著）

回忆文《朝花夕拾》（后半部）

杂感集《华盖集续编的续编》（附在《华盖集续编》之后）

同上《而已集》

讲义《中国文学史》（未完）

七、上海工作时期　四十七至五十六岁（十六年秋——二十五年十月十九日，即一九二七——一九三六年），国家大事有十七年的北伐成功及“五三济南事件”，二十年“九·一八”后东四省的沦亡，二十一年“一·二八”上海之战。

这十年之间，国难的严重，日甚一日，鲁迅对于帝国主义的侵略，国内政治的不上轨道，上海文坛的浅薄空虚，一点也不肯放松，挺身而出，“奋笔弹射，无所避回”，于是身在围攻，禁锢之中，而气不稍馁，始终奋斗，决不屈服。这时期可以称为短评时期。他的短评，都像短兵相接，篇篇是诗，精悍无比。不识者奚落他，称之为“杂感家”，殊不知这正是他的战士生活的特色。他不想做什么领袖，也没有“藏之名山”的意思，以为一切应时的文字，应该任其消灭的。《热风》序文里说得好：“……几个朋友却以为现状和那时并没有大两样，也还可以存留，给我编辑起来了。这正是我所悲哀的。我以为凡对于时弊的攻击，文字须与时弊同时灭亡，因为这正如白血轮之酿成疮疖一般，倘非自身也被排除，则当它的生命的存留中，也即证明着病菌尚在。”所以他的十多本杂感集大都是应时而作，只要时弊快快去掉，则他的文字本来愿意欢欢喜喜地消灭。

上海不是个好住处，不说别的，单是空中的煤灰和邻居的无线电收音，已经够使他心烦气闷了。他常对我说，颇想离开上海，仍回北平，因为有北平图书馆可以利用，愿意将未完的《中国文学史》全部写成。它的大纲早已成竹在胸，分章是《思无邪》，《离骚与反离骚》，《药与酒》……他的观察史实，总是比别人深一层，能发别人所未发，所以每章都有独到的见解。我们试读《而已集》里那篇《魏晋风度及文章与药及酒之关系》，便可窥见一斑。这是他的《中国文学史》的一段，思想很新颖，议论很透辟，将一千六百年前人物的真相发露出来，成了完全和旧说不同的样子。我正盼望这部大著作能够早日观成，不料他竟赍志以殁，连腹稿也同埋地下，这是无可弥补的大损失！

近年来，他写文章之外，更致力于大众艺术和大众语文。前者是提倡版画，因其好玩，简便，而且有用，认为正合于现代中国的一种艺术。他个人首先搜集了许多件英、俄、德、法、日本的名刻，有时借给别人去展览，有时用玻璃版翻印出来，如《士敏土之图》，《凯绥·珂勒惠支版画选集》，使艺术学徒有所观摩。一面，在上海创办木刻速修讲习会，从招生以至每日的口译，都由他一个人担任的。这个艺术现在已经很有进步，可以说风行全国了。后者是鼓吹大众语，因为汉字和大众是势不两立的。他说："现在能够实行的，我以为（一）制定罗马字拼音（赵元任的太繁，用不来的）；（二）做更浅显的白话文，采用较普通的方言，姑且算是向大众语

去的作品，至于思想，那不消说，该是‘进步’的；(三)仍要支持欧化文法，当作一种后备。”(《论大众语》)

本期的重要著作，列举如下：

杂感集《三闲集》

同上《二心集》

同上《南腔北调集》

同上《伪自由书》(一名《不三不四集》)

同上《准风月谈》

同上《花边文学》

小说《故事新编》

杂文《集外集》

此外，近年散见各种杂志的文章，不曾由他自己结集起来，否则一定又添了一个有趣的书名。有一本题作《一九三五年——一九三六年鲁迅杂文集》，在他逝世的一个月——十月印行的，编次甚乱而销行甚广，决不是他自己编订的东西，前面既无序文，书尾也不贴版花。自从他一去世，投机取巧的市侩，东钞西撮，纷纷出书，什么《鲁迅自述》啦，《鲁迅杂感集》啦，《鲁迅讽刺文集》啦，《鲁迅最后遗著》啦，陈列在书摊上，五花八门，指不胜屈。更有无耻之徒，冒名取利者，将别人的作品，换一个临时封面，公然题作“鲁迅著”，例如《活力》,《归家》等等，尤其可恶。请诸位千万注意，别去上当！

以上所谈，只关于他的创作方面，至于翻译，已经印行的不下三十种，工作也极其认真，字字忠实，不肯丝毫苟且，并且善能达出原文的神旨，这也是译界中不可多得的珍宝。

总之，鲁迅无论求学、做事、待人、交友，都是用真诚和挚爱的态度，始终如一，凡是和他接近过的人一定会感觉到的。他的勤苦耐劳，孜孜不倦，真可以忘食、忘寒暑、忘昼夜。在广州住白云楼的时候，天气炎热，他的住室，阳光侵入到大半间，别人手上摇着扇子，尚且流汗，可是他能在两窗之间的壁下，伏案写稿，手不停挥：修订和重钞《小约翰》的译稿；编订《朝花夕拾》，作后记，绘插图；又编录《唐宋传奇集》等等。蛰居上海以后，为生活费的关系，勤劳更甚。书案前一坐下，便是工作；工作倦了，坐到案旁的一张藤躺椅上，看看报，或是谈谈天，便算休息。生平游览极少，酬应最怕，大抵可辞则辞。衣服是布制的；鞋当初是皮的，十余年来是胶皮底帆布面的；卧床向用板床，近十年来才改；写字始终用毛笔。除了多吸烟卷而外，一无嗜好。他至死保持着质朴的学生时代的生活。

他的真挚，我不用说别的，就在游戏文字里，也是不失常度，试读《我的失恋》，便可知道。这本来是打油诗，其中所云至："爱人赠我百蝶巾，回她什么：猫头鹰。""爱人赠我双燕图，回她什么：冰糖葫芦。""爱人赠我金表索，回她什么：发汗药。""爱人赠我玫瑰花，回她什么：赤练蛇。"（《野草》十一至十四页）似乎是信口胡诌了，其实不然。要晓得猫头鹰，发汗药之类，的确是他自己所心爱的或是所常用的物品，并没有一点做作。

他的富于友爱，也是常人所不能及的，最肯帮人的忙，济人的急，尤其是对于青年，体贴无微不至。但是竟还有人说他脾气大，不易相处，这是我所不解。

他这样地牺牲了个人生前的幸福，努力为民族的生存和进步而奋斗，患肺结核而至于医师多次警告了，还是不肯休息，而且"要赶快做"，真是实践了他三十五年前所做的“我以我血荐轩辕”的诗句!

我说过：鲁迅之所以伟大，就在他的冷静和热烈双方都彻底。现在话已说多了。就引用他的《自嘲》诗中的两句作为今天谈话的总括罢：

横眉冷对千夫指；

俯首甘为孺子牛。

上句表冷静，下句表热烈。关于上句，请参阅“我的确时时解剖别人，然而更多的是更无情面地解剖我自己，发表一点，酷爱温暖的人物已经觉得冷酷了。如果全露出我的血肉来，末路正不知要到怎样”(《坟·写在〈坟〉后面》)。下句请参阅《救救孩子》(《狂人日记》的末句)，“自己背着因袭的重担，肩住了黑暗的闸门，放他们到宽阔光明的地方去”(《坟·我们现在怎样做父亲》)。又景宋的哀诗所引用的“我好像一只牛，吃的是草，挤出的是奶”。即使在《自嘲》中，也可以看出他的伟大来。

二十五年，十二月，十七日

民族的思想上的战士——鲁迅先生

艾思奇

我很想用虔诚的态度，根据充分的研究，写一本评论鲁迅先生的思想的书。无论做什么事，都需要虔诚的态度和充分的研究，但对于鲁迅先生尤其更要这样。因为鲁迅先生自己就是一个虔诚不苟的工作者，不论写一个条子，一封短简，凡是从他手里出来的东西，都是非常工整的。这并不是封建时代循规蹈矩的那种工整，这是一个前进的战士所应该取法的切实和严整。鲁迅先生所以能始终前进，始终成为青年们的领导者，而对于中国人能够给予极大的影响，就因为他是这样一个能使自己严整的战士。真正的战士并不是完全不负责任的破坏者，他要在破坏陈旧势力的战斗中不断地建立自己，约束自己。

对于一个勇敢的战士，我们不抱着同样勇敢的心情去看他，是不能了解他的，不以同样虔诚的态度去研究一个虔诚的工作者，也同样不会有好的结果。鲁迅先生遗留给我们的工作遗产，是丰富而且高贵。单就思想方面来说，他也开辟了一个新的境界。人们谈起来的时候，总常说他并不单单是一个文艺家，同时也是一个伟大的思想家。是的，他在文艺上是给新文学建立了一个极其坚固的基础，新文学不单只做了破坏工作，也做了建设工作，这虽然不完全是鲁迅先生一人的力量，然而他却尽了最巨大的力量。是的，他对于文字的使用能力和表现能力，在目前是没有人能比拟的。他的思想，因了他的文字才有这样的影响。但我们又可以反过来说，他的思想也是重要的，没有他的思想，他的文字也怕不会这样的光辉。

有人说过这样的话：鲁迅先生的文章的力量，是跟着他自己的思想走的。在写最初的一篇小说《狂人日记》以前，他过着一段蛰伏的生活，对人生的失望和在思想上的怀疑，使他甚至不能写作。《狂人日记》以后的《呐喊》和《热风》的时代，他成了反封建的积极的战士。

这时他的文字就锋利，明快，而有生气。当他作《彷徨》，《华盖集》时，忧郁的思想又笼罩了他，虽然也在战斗，但思想的苦闷使他的文字有了琐碎无力的缺憾。他的文字的炉火纯青时代，其实是在他接受了更新的思想以后，创作固然没有了，但《伪自由书》之类的杂感文里，却表现着他的文字艺术的登峰造极，而影响也最大。

这样的意见，对于他的思想和文字不可分的关系是说着了一部分真理的。虽然他的思想进展的各阶段中仍有一贯的线索，并不是突然积极又突然虚无。然而在思想的波状起伏里他的文字的光辉也跟着波状地消长，却是可以承认的事实。

是的，鲁迅先生的思想经过了几次的转变和怀疑，经过否定又肯定。但转变必然要有所以能够转变的基础。同是一时的战士，为什么周作人先生会走进苦雨斋里，为什么林语堂先生来专谈幽默？而鲁迅先生却和前进的青年一道走？转变不是魔术，而是现实，因此也要有现实的基础，这就使得我们在鲁迅先生思想转变前后各阶段中，能找出一贯的东西。有人说鲁迅先生虽然有丰富的思想，却没有成为系统。这样的见解，只是指出了平庸的事实，却没有道着了核心的真理。事实是鲁迅先生没有把自己的思想基础用系统的方式抒写出来，并不是说他没有一贯的东西。战斗的思想家不断地应付着许多遭遇战，就只好教科书式的“体系”著作，留给书堆里的编纂者去做了。然而后者常只能复述，却少独创。

一贯，是发展的一贯，不是静止的一贯。鲁迅先生在思想过程中曾跳过了两个截然不同的阶段：从个人主义到集团主义，从人道主义到社会主义，从进化论到史的唯物论。他曾经彷徨，站在个人主义的立场上看见了“集团主义的大纛”，却找不到跨过去的桥梁；他终于跳了过去，承认了自己过去“只信进化论的偏颇”。在这两个截然不同的鲁迅中间，我们能找到什么共同的内容呢？

最重要的一个共同的内容，就在他的思想的时代和社会的使命上。他的使命是一个真正的中国人所担负的使命。他生在这一个国家，在这同一个现实里长大，他和中国的社会人物天天接触，磨搽，他爱中国和中国人，因此也对中国和中国人的缺点深恶痛绝，切望着他们的改善。他起来和这些缺点作战，不是一个单纯的战士，而是民族的战士。作为思想家的他，就把这思想磨成了最适于民族战斗的武器。

从《阿Q正传》里就可以看出这位民族战士的思想态度，《阿Q正传》并不是不负责任的讽刺。鲁迅先生给予阿Q的并不是漠不关心的嘲笑，他是抱着严父的慈爱的心情，看见了他的孩子阿Q的愚劣，孩子的愚劣使父亲痛心到啼笑皆非，然而又禁不住要寄与深深的同情和怜惜。鲁迅先生眼中的阿Q，其实也就是他眼中的中国人。无论中国人是否全像阿Q，无论现在的中国人比阿Q时代更有了什么进步（这进步，就是鲁迅先生自己也了解的），他对于中国和中国人的热爱，希望，对他们的缺点的痛恨，是始终一致的。

"我不但是一个作家，而且是一个中国人"，一直到将死的前几天他还是这么写着。不错，鲁迅先生是一个真正的中国人，做一个真正的中国人也不是容易的，因为这不是在国籍证明书上挂一个名字的事，而是要能够为中国的进步和自由战斗，流血。鲁迅先生是始终为中国的进步而战斗着过来的。我们甚至可以承认知堂先生的话，说"豫才（即鲁迅先生）的思想我想差不多可以民族主义包括之”，虽然知堂对鲁迅的别方面的评判大都是胡说，而他所了解的民族主义也并没有超过一个抽象的名词。

用抽象的民族主义来形容鲁迅先生的思想，那就等于说他是国家主义者或国粹主义者一样，不仅只不适当，而且就是侮蔑。然而鲁迅先生确实可以算得一个最勇敢的民族主义者，倘若我们从具体的，现实的意义上来解释这一个范畴。具体的民族主义有种种，鲁迅先生的民族主义（也是真正中国所要的民族主义）是被压迫者反抗的，求生存的民族主义，而不是狂妄自大而喝血的法西怪物。同是被压迫民族的民族主义，也有立场不相同的，精神文明论者只求守着国粹的传统，但另外的人却要争取人民的物质生活。鲁迅所要求的也正是人民的物质生活，他是唯物的民族主义者，他最痛心的是阿Q的精神胜利术！

说鲁迅先生是民族主义者，会使我们想起从前文艺自由和第三种人的论战。民族主义者虽然并不是自由无碍的天使，但却颇有第三种人的嫌疑：它好像是为民族而提出来的主义，并不是为民族里任何一部分人的利益。这就是说，鲁迅先生既是民族主义者或爱国的人，他在这国家和民族内部就不会以任何部分集团为立脚点，却成了一个高高在上的民族化的第三种人。

不错，为着全民族的出路和利益才有民族主义。但民族主义者也有最勇敢和较勇敢的分别。最勇敢的民族主义者是和物质生活要求最切近的人民一致的，他决不会忘记整个民族的命运，因为这也就是他的命运。他为中国的整个民族的生存而战，因为他的生存也就系赖于中国民族整个的生存。但无疑地，他是属于最勇敢的民族斗士的集团。

鲁迅先生是一个一贯的最勇敢的民族战士。这个“一贯”，就是他的思想发展的基础，就因为有这个一贯，他才能跳过截然不同的两个阶段。他是最勇敢的民族战士，因此在封建传统成为中国民族生存的主要大敌时，在五四运动前后，他就和反封建的最前线的集团站在一道。他是勇敢的民族战士，因此在正人君子把北京城搅得一塌糊涂时，他以个人主义的资格和他们搏斗。他是最勇敢的民族战士，因此在一九二八年以后，虽然横遭左翼方面的“围剿”，然而看看中国的前途是担负在苦痛的广大民众身上时，他也就忍着伤痛，辛苦地翻了个身，站到他们的集团里来。伤痛中的翻身，是谈何容易的事！倘若是伪君子，他必定疯狂地揭去假善的脸孔，露出青面獠牙，然而他是诚真的战士，为着“远大的目的”（知堂先生注释说：“简单的一句话就是……救中国”），他就说着“投降也是常事”，走向大众这方面来。

鲁迅先生是一直向前走的。用自由人或第三种人的理论来看他自然不对，但要把他嵌在一个死的固定的集团范畴里也同样不行，他是跟着时代的每一个重要阶段赶上了前锋。他生长在农村，有人就把他嵌进了“农民”的范畴，他的顽强不败的战绩，就被人解释成农民的执拗性使然。如果说鲁迅先生还有农民性（也就是保守性），那么，对于那从实验主义和科学走向国故整理的胡适，农民性不是更十倍于鲁迅了吗？死守在苦雨斋里谈龙谈虎的周作人又如何？自称有点“蛮性”死活也要幽默的林语堂岂不更极近于农民？为自己的主张而百战不屈如果就叫做有农民性，那么一切最勇敢的革命战士都得到农村里去找了。鲁迅先生的不妥协的精神其实并不是来自农民性，恰恰相反，他和农民的愚昧的保守的传统尖锐地对立着。他一点也不执拗，能在将近老年的时候跨过两座思想的山峰的人，还算是执拗吗？他不过是深深地爱着中国，对于他所信为可以救国的思想把握得最确实，为这思想的战斗也做得最坚决罢了。当他发觉了一种思想对于民族的生存有害时，即使曾经为他所深信过，他也能够毫不痛惜地“一脚踢倒”！

伊里奇说托尔斯泰是俄国革命的镜子，因为他在作品里反映了俄国革命前社会各阶层的动态。鲁迅先生也是中国民族革命的镜子。但镜子的反映是有条件的，因着它所放置的地位和角度的不同，就反映出不同的东西。鲁迅先生是一面活动的镜子，他依着民族生存的需要，屡次改换了自己的地位和角度，校正了自己的反映，甚至于不惜使自己牺牲。“为了远大的目的……而攻击我者，无论用怎样的方法，我全都没齿无怨言。”“革命文学的第一步，必须拿我开刀，我也敢于咬着牙关忍受。”——他有着这样以身殉道的精神，但并不因此他就不爱自己的生活。他爱民族，但他也要使个人的生活有意义；因为个人也是民族的战士。爱生活，也是鲁迅先生思想中的一贯的东西。他的态度的严整，做事的不苟，就表现着他是怎样地爱惜生命，不顾有一刻空洞的滥费。生活的要求，本来是人的常情，不是变态的人，不会平白无故地求死。人都是爱生活的，不同的是各人有他所爱的方式。自私自利，偷安苟活，也是出于爱生活。用虚缈的美梦麻醉自己或用夸大的狂想图一时的快意，也是出于爱生活。然而这都不是真正爱生活的方法，前者是退缩，忍辱，庸俗的道路，只顾到眼前的小利，看不见生活的进步的前途。后者是轻浮，盲动，空想的道路，只耽迷于缈茫的幻梦，不能把握住生活的现实。鲁迅先生所要的不是这两种生活态度，他爱切切实实的现实生活，爱一步步勇迈地进步着的生活，对于那庸俗的和空想的生活抱着极大的厌恶。他的厌恶的对象结果成了他的战斗的对象，于是鲁迅先生就不断地在两条线上实行着斗争。《华盖集》和《彷徨》时代他痛击过北京教育界的卑劣庸俗，被“围剿”的时代，他虽然在远大的目的之下看见了自己的错误，承认创造社的攻击使自己“看了几种科学的文艺论”是值得“要感谢”的，但同时他也批评当时左翼人们大都偏重口号标语的近于空想和不合实际。是的，鲁迅先生在生活态度方面，以及其他的方面，都和过左的空洞思想以及右倾的俗物思想做过战斗，从这中间，产生了他的战斗的现实主义。

久经阵场的战士并不能百战百胜，中间也难免有失足跌倒的时候，伟大的战士就在于能够再接再厉。鲁迅先生的现实主义就是在再接再厉的战绩中发展起来的，他的严肃的生活态度使他走上了这一个方向。他也曾经蹉跌，走上歧路。他曾经失望，感到虚无，曾经译过阿志拔绥夫的虚无思想的作品，他曾经跟着厨川白村，讴歌过空洞的所谓“生命力”。然而他一点一滴地抓住现实，一步一步地走上前路，从反对精神胜利的旧唯物论思想，终于达到了科学的唯物思想的境地。从这样的过程获得现实主义的思想，是最艰难的，然而也是最切实的，最有活气的东西。这思想虽然是因了“几种科学的文艺理论”的一触才飞快地结晶，坚定地成形。然而不搬弄生硬的外国名词，不空喊高大的口号，活生生地和日常生活的事实结合着，这却是普通靠书本得来的现实主义所万难企及的。

这战斗的现实主义，同时也是鲁迅先生的思想方法。他很少谈抽象的理论，却最善于分析事实，他甚至没入到最日常的琐事里。他不用理论的公式去套住事实，却爱从事实中找出具体的活的理论。自然，文艺是形象的现实反映，作为一个文艺作家，应该都有具体地表现思想的能力，不是鲁迅先生所专长的。但他的专长并不在于写出事实，而是能巧妙地暴露事实的矛盾。他善于出人意表地点出事物的负面，因此在论战的时候，也最能用论敌所说的话，去打击论敌自己的嘴巴，呈出一幅讽刺的，幽默的，然而却是真理的场面。他没有有意地在讲辩证法，但事实上却有意无意地在随时应用。从来天才的思想家都常常要跳出形而上学方法的禁锢，而对于辩证法的发展多少贡献一些东西。这在鲁迅先生，情形也是一样的——他深化了民族的反抗思想，同时也就给世界的哲学增添了彩色。

鲁迅先生对于科学

周建人

鲁迅先生不但爱好文学，曾做文学方面的工作，他又爱好科学，不少时间用在研究科学上。他在南京学开矿的时候，不用说，曾学习矿物学，地质学，化学以及数学等科学。到仙台去改学医学时，又学习生理学，解剖学，有机化学等科学。这些学科是医学的基础，自己更读赫克尔的《自然创造史》，阿·海尔脱维息的细胞学，梅契聂科夫的著作等。他不仅学习说明科学，又研究理论科学或生物哲学。这些书籍后来带到他的北平的寓所，至今大概还存在那里。

到了感觉到“中国的呆子，坏呆子，岂是医学所能治疗”，决计放弃医学，从事文艺运动的时候（参看许寿裳先生的《怀亡友鲁迅》——《新苗》，第十一期），他研究文艺了，但研究科学的兴趣仍然保存着的。回国以后，在杭州两级师范学堂教授生理学和化学时，除了研究职务上所担任的学科外，又自己研究植物学。往西湖等处采集植物，亲自压制标本。他写信给我，叫我也可以学学植物学，因为这很有趣味，也很重要，特别是没有多大的设备也可以研究，材料又随地可以采得。民国前二年夏季，他从杭州回来，把采集的标本带回来，暑假中把未干燥的加以整理，已干燥的贴上台纸。这年秋季，他在绍兴府中学堂担任教务长，兼任博物学的一部分功课，还继续采集植物标本。他住在学校里，我去看他时，他常在做显微镜下的工作。就是直到他最后一次的病将发生的时候还预备买一台显微镜，已病的时候，还讲起雪泼里著的《显微镜下打猎》的内容。他对于科学的兴趣始终没有衰。病中也还看生理学的书，说近代生理学的内容已和他当学生时学习的改变得大不相同了。

但到离开绍兴府中学堂，任绍兴师范学堂校长时，因为事务更忙，遂不再采集植物了，闲暇时却计划出丛书，德文的书籍外，更买了些英文的，如《家庭大学丛书》等丛书，预备把好的选出来，邀集几个人来分头去翻译。但不久，他便往南京教育部，接着教育部迁往北平，他也就住在北平，出丛书的事情遂没有办成功。采集的植物标本，一直保留在家里，直到迁居北平时，他回来接家眷，和他商量的结果，和我采集的一些一起送给本地的学校了。

大约民国十六年，他从广东到上海，住在横浜路的景云里，不久便和我讲起想译法布尔的《昆虫记》。他说在北平时曾看过几本法布尔的著作，觉得很有趣，把他的《昆虫记》译出来给青年看看是有益处的，所以应该找点闲暇来翻译。但他没有闲暇，他编《奔流》等杂志，翻译文艺方面的文章，又读文学及社会科学的理论等书籍。并且搜集材料，想编中国文学史。但翻译《昆虫记》的事情并没有忘记。生病以前的几个月又几次讲起想翻译《昆虫记》，终于决定和我共同来翻译。先去买英译本，是预备给我参考用的。这书在他的病前和病后陆续寄来，但只到了十二册，还有三本（其中一本是著者的传），因为出版家已卖完，没有寄来。他预备托人向旧书店去买旧的。但不久，鲁迅先生竟因自己也料想不到的这一病，在曙光将明的时候和我们永别了。中国文学史和翻译《昆虫记》和别种要做而没有做或没有做完成的工作遂都留给了现在活着的人和正在长大起来的青年们。

鲁迅先生健康时和病中的时候，除掉讲谈科学方面的问题，帕扶洛夫的学说等之外，别的意见还很多，例如，在去世的数天以前，他讲起印阔书，他说不知道的人也许以为他有闲，所以做这种玩意儿；实际上他印阔书无非想读者珍重一点，留传得久远一点。讲到章太炎时，他说他先前曾从事革命，下过几次狱，但并不屈服，这种精神是应该学习的，但晚年的陈旧的思想却不应该学习。他以为好的批评者应该把他的优点提出来，错误的地方就说明他的错误，这也就是给读者们指出一条正确的路。有时候他讲起记者们记他的谈话，不免有记错的，比方，有一回，有一个外国的访问者发表他的谈话记里，曾记着“我的兄弟是猪”这一语，他说完全不曾说，不知道怎样写进去的。在热度很高的时候，他还看启明先生的著作，我去时，便坐起来对我说：他的文章有些地方的确悠闲得可以，但有些地方却并不是悠闲的，就是像“且到寒斋吃苦茶”这些诗里说的“听谈鬼”这些话也并不是完全悠闲的话，还有别的含义。他几次对我谈起，希望启明先生保存着像先前北京恐怖时代设法把李大钊先生的儿子护送出国的那种爱护青年的热忱，不要走到消极的路上去。但是如果把这些谈话写起来未免太琐碎了，将来或许要写，或许不再写，都没有一定的。现在只写了鲁迅先生对于科学的兴趣这一点，因为他的这方面的兴趣，知道的人比较少，所以让我说一说，别的话这里不想多说了。

鲁迅先生的写作理论

雪　韦

想用四五千字的笔墨，通过鲁迅先生的作品去完整的解释鲁迅先生的写作方法，在我是不可能的，也不是一时做得出来的事。在我，以为假如我们能完全说明了鲁迅先生的写作方法，那就算说明了我国文艺写作方法的战斗的传统。这样的事，是要准备给予相当的时间，更多的篇幅，跟着中国新文艺运动整个历史的研究来进行的。我在这里，仅企图根据鲁迅先生自己关于写作问题的文献，将他对于“写作”的理解，做一个比较系统的说明。但也只能“提纲”的说明，并在写作技术的问题上，恐一时还是不能触到。不过我相信：如果是我的能力所可及的话，将鲁迅先生的写作理论，在一般的轮廓上做出一个比较正确的说明，介绍了他在写作问题上的基本的主张，也还是必要。而且，对于我们现在是非常有益的。

跟其他的问题一样，鲁迅先生的写作主张，在目前的写作理论（社会主义的现实主义）中，一样站在很高的地位上，值得我们严重的来注意，深刻的来研究，并忠实的来实践的。跟其他部分一样，鲁迅先生在写作问题上从头到尾所抱的见解，是一贯充满健康的。然而是直到现在，还没有完全被我们应用起来的见解。

鲁迅先生一开始他的写作生活，第一就坚决主张写作是为社会的理论。在鲁迅先生看来，既不是“为写作而写作”，也不是为“自我的表现”而写作，而是完全从社会的见地出发，为了社会的解放和平斗争而写作的。在他看来，若不是这样，写作就简直没有丝毫的意义，他自己也毫无趣味来提笔了。他一贯的这样主张着，实践着，并且一贯的在这见解上跟和这相反的人们作激烈的论争。他说：

> 说到“为什么”做小说罢，我仍抱着十多年前的“启蒙主义”，以为必须是“为人生”，

而且要改良这人生。我深恶先前的称小说为“闲书”，而且将“为艺术的艺术”，看作不过是“消闲”的新式的别号。所以我的取材，多采自病态社会的不幸的人们中，意思是在揭出病苦，引起疗救的注意。(《我怎样做起小说来》——《南腔北调集》)

这是他在“一九三三”年说的，所以说“仍抱着十多年前”的主张云云。确实，他在“一九一三”年，在他的第一本小说集的“自序”里，就这样表白了他抛弃医学转入文学的动机。而这，是日俄战争那时（一九〇四——一九〇五年）的事了。他说：

……有一回，我竟在画片上忽然会见我久违的许多中国人了，一个绑在中间，许多站在左右，一样是强壮的体格，而显出麻木的神情。据解说，则绑着的是替俄国做了军事上的侦探，正要被日军砍下头颅来示众，而围看的便是来鉴赏这示众的盛举的人们。

……从那一回以后，我便觉得医学并非一件紧要事，凡是愚弱的国民，即使体格如何健全，如何茁壮，也只能做毫无意义的示众的材料和看客，病死多少是不必以为不幸的。所以我们的第一要着，是在改变他们的精神，而善于改变精神的是，我那时以为当然要推文艺，于是想提倡文艺运动了。……（《呐喊·自序》）

然而，在那时，写小说是不像现在也可以求“名”收“利”的。不惟不如此，在那封建的中国“学术”传统下，简直认为这是文人的末路，因而是为“社会人士”所不耻的行业。鲁迅先生自己说得好：“当我留心文学的时候，情形和现在很不同：在中国，小说不算文学，做小说的也决不能称为文学家，所以并没有人想在这一条路上出世。我也并没有要将小说抬进‘文苑’里的意思，不过想利用他的力量，来改良社会。”（《我怎样做起小说来》）自然，现在“小说”是高踞在“文苑”的宝座里了。但那时的景况，却把鲁迅先生完全出发于社会的观点的，彻底的，写作的**社会客观**的态度，刻画得非常明白。这特点，是最值得我们注意的，也是**客观的现实主义的最本质的**写作立场。

于是，从社会出发，为了帮助完成社会的变革任务而写作的他，在写作方法上就必然成为一个彻底的现实主义者。他嘲笑徐志摩的诡奇幻想（一九二四年，《音乐？》——《集外集》）；他打击成仿吾以为表现现实人生的艺术是“庸俗”的主张（一九二四年，参看《故事新编 · 序言》）；他严厉的批评创造社等的“革命文学家”们不敢“正面现实”的，艺术的逃避，左倾公式的高调等（一九二八年，《文艺与革命》;《“醉眼”中的朦胧》——《三闲集》等）。他所要求的是“描写现实”，并认为要描写现实，首先作家就要有“敢于正面现实”的勇气。他说：

> 多少伟大的招牌，去年以来，在文坛上都挂过了，但不到一年，便以变相和无物，自己告发了全盘的欺骗。中国如果还有文艺，当然先要以这样直说自己所本有的内容的著作，来打退骗局以后的空虚。因为文艺家至少是须有

直抒己见的诚心和勇气的，倘不肯吐露本心，就更说不到什么意识。(一九二九年,《小小十年小引》——《三闲集》)

总之，我的意思是：现在能写什么，就写什么，不必趋时，自然更不必硬造一个突变式的革命英雄，自称"革命文学"；但也不可苟安于这一点，没有改革，以致沉没了自己——也就是消灭了对于时代的助力和贡献。(一九三一年,《关于小说题材的通信》——《二心集》)

问题重要的是在怎样的看法。譬如别人写跳舞场罢，我们也未始不可以写。但我们的写法就和他们的不同，主要的是在写实。(参看周文:《鲁迅先生是并没有死的》——《中流》第五期)

但是，鲁迅先生并不以为"写实"便是"记录"。在他看来，一篇小说跟一则"新闻记事"不同。新闻记事只要按事记录就行，而小说——一篇文艺作品，那就不这么简单，是要应用作家艺术的手腕，经过事实的分析，艺术的概括，生动的描写……才会成功的。他在这主张上，第一个极明确的批评了“标语口号”的写作理论的谬误。他说：

> 美国的辛克来儿（Upton Sinclair）说：一切文艺是宣传。我们的革命文学者曾经当作宝贝，用大字印出过；而严肃的批评家又说他是“浅薄的社会主义者”。但我——也浅薄——相信辛克来儿的话。一切文艺，是宣传，只要你一给人看，即使个人主义的作品，一写出，就有宣传的可能，除非你不作文，也不开口。那么，用于革命，作为工具的一种，自然也可以的。
>
> 但我以为当先求内容的充实和技巧的上达，不必忙于挂招牌。“稻香村”“陆稿荐”，已经不能打动人心了，“皇太后鞋店”的顾客，我看见也并不比“皇后鞋店”里的多。一说“技巧”，革命文学家是又要讨厌的。但我以为一切文艺固是宣传，而一切宣传却并不全是文

艺，正如一切花皆有色（我将白也算作色），而凡颜色未必都是花一样。革命之所以于口号，标语，布告，电报，教科书……之外，要用文艺者，就因为他是文艺。（一九二八年，《文艺与革命》）

然而，现实的真实的描写应该怎样来进行呢？

所写的事迹，大抵有一点见过或听过的缘由，但决不全用这事实，只是采取一端，加以改造，或生发开去，到足以几乎完全发表我的意思为止。人物的模特儿也一样，没有专用一个人，往往嘴在浙江，脸在北京，衣服在山西，是一个拼凑起来的脚色。（《我怎样做起小说来》）

在一定的主题下把题材组织起来，不拘陷在粗糙不全的个别的题材下面。这是一。

显示灵魂的深者，每要被人看作心理学家，尤其是陀思妥夫斯基（Dostoivsky）那样的作者。他写人物，几乎无须描写外貌，只要以语气，声音，就不独将他们的思想和感情，便是面目和身体也表示着。……(一九二六年，《穷人小引》——《集外集》)

……要写文学作品也一样，不但应该知道革命的实际，也必须深知敌人的情形，现在的各方面的状况，再去断定革命的前途。惟有明白旧的，看到新的，了解过去，推断将来，我们的文学的发展才有希望。(一九三一年，《上海文艺之一瞥》——《二心集》)

不停止在人物意识的表面，还要深入其内容；不在“事实”的现象上打转，还应该透视进去，暴露其本质。这是二。

在这中间，也不免夹杂些将旧社会的病根暴露出来，催人留心，设法加以疗治的希望。

> 但为达到这希望计，是必须与前驱取同一的步调的，我于是删削些黑暗，装点些欢容，使作品比较的显出若干亮色。（《自选集·自序》）

在现实题材的处理中，在表现上对于现实的肯定部分——前途发展的光明的**强调**。这是三。

可是，“组织”不是“歪曲”；“深入”不是想入非非；“强调”也不是“未来”的虚造。那样，是鲁迅先生所坚决反对的。事实上，他是一个极**严谨**的现实主义者。如像，在上面所引的《关于小说题材的通信》中，他就告诫人不要“硬造”革命英雄。又说：“选材要严，开掘要深，不可得一点琐屑的没有意思的事故，便填成一篇，以创作丰富自乐。”在《论现在我们的文学运动》（一九三六年，《现实文学》第一期）中，他叫人不要“硬扎一个革命的尾巴”，来表示“革命”。特别是在一九二八年的文艺论战中，他不断的发挥了写作的不能“超时代”，超现实的主张（《“醉眼”中的朦胧》；《文艺与革命》；《路》；《太平歌诀》；《铲共大观》；……）。

鲁迅先生认为写作并不是一件可以随随便便的事

情，这中间需要作家们抛去自己利己的观念，虚心、刻苦的学习，不断的努力前进。然而他又不以为写作是高不可攀的事，要天生的才子们才有这资格。他不断的打击那般徒唱高调，乱杀乱砍，他叫做“抡板斧”的“批评家”。他尤其反对对于新作家的蔑视。他主张**现实的学习**：写不出自然不硬要写（一九三一年《答北斗杂志社问》——《二心集》）；但只要想写，那有什么就可以写什么（《关于小说题材的通信》等）。作品不是一写就要“不朽”，作家不是一生下地就能“伟大”的。——

近来对于青年的创作，忽然降了一个“流产”的恶谥，哄然应和的就有一大群。……

我独不解中国人何以于旧状况那么心平气和，于较新的机运就这么疾首蹙额；于已成之局那么委曲求全，于初兴之事就这么求全责备？

智识高超而眼光远大的先生们开导我们：生下来的倘不是圣贤，豪杰，天才，就不要生；写出来的倘不是不朽之作，就不要写；改革的事倘不是一下子就变成极乐世界，或者，至少能给我(！)有更多的好处，就万万不要动……

孩子初学的第一步，在成人看来，的确是幼稚，危险，不成样子，或者简直是可笑的。但无论怎样的愚妇人，却总以恳切的希望的心，看他跨出这第一步去，决不会因为他的走法幼稚，怕要阻碍阔人的路线而“逼死”他；也决不至于将他禁在床上，使他躺着研究到能够飞跑时再下地。因为他知道：假如这么办，即使长到一百岁也还是不会走路的。(一九二五年，《流产与断种》——《华盖集》)

写作学习的“实事求是”的主张，也是鲁迅先生一贯的主张。今年，他为了对于田军的《八月的乡村》的“求全责备”，还大大的打击着那般所谓“革命的批评家”们（参看《夜莺》第三期:《三月的租界》)。而他在他这主张下面的实践（教育青年作家及艺术家），也是贯穿了他底一生，并在中国新文化建设中留下了他非常惊人的伟绩。

将如上的鲁迅先生的写作理论，与现在国际的写作理论相比，似乎也极“平常”：“社会主义的现实主义”的理论不是说，写作的第一个前提条件，是“写出真实来”么？它不是为了更广泛的教育各种各样的作家，主张现实的学习，反对“唯物辩证法的创作方法”理论的书呆子气，以及它的偏狭性，而强调“描写现实”的意义，以“现实的努力表现”来求统一，以不断的写作实践来求到达最高的写作水准——唯物辩证法的去把握现实么？社会主义的现实主义理论，不是也同时批判着布尔乔亚的现实主义，批判着他们早期的浪漫主义，将“现实”作为动的，发展的，可以预见的（梦的现实）来解释的么？……这些都各各与鲁迅先生的写作主张吻合。但正因为这样，我们才看出鲁迅先生的写作理论的价值，才深深理解，在他这里，就是写作理论也是一样坚实的，完整的，和光辉的！

上面虽仅是提纲挈领的引录，然而看那些引录下面所注明的日脚吧。岁月的记录证明：鲁迅先生从一九〇三到一九三六年，也就是从他文学生活的开头到煞尾，都有着一贯的写作理论的系统。而且这是无毛病的，也无矛盾的。这，对于那些老用着那一套油滑腔调，以及爱叫“转变后的鲁迅”如何如何，“转变前的鲁迅”又如何如何者们，同样给予了一个极坚固的回答！自然，鲁迅先生的写作理论虽一贯，而却有发展，虽没有内部冲突的矛盾，然而却有着粗精之别。但跟其他的问题一样，在写作问题上的鲁迅，他也没有在理论上走过岔路，是很明显的。所以既不背驰，又何来回“转”？在《新青年》——创造社（一九一八——一九二七年）的时期，文艺活动中，正迷漫着主观的个人主义的写作理论；然而他却没有接受这些影响，相反，他是客观的社会的“民众主义”的。又在一九二九——一九三二年的时期，文艺活动的主流，迷漫着机械论的，“标语口号”的写作理论（一九二九——一九三〇年）；左倾观念论的，到处向作家索阅“正确的世界观”的写作理论（一九三一——一九三二年）。然而如上所见，他在这里也没有陷入过“历史的错误”。他既反对离开“文艺”的狂叫；也坚决的主张只有实际的写作才能“正确”。与其左右为难，不敢动笔，不如有什么就写什么，能怎样写便怎样写，而在实践的锻炼里求精进。当参加“第三种人”

论战时（一九三二年），他大胆的（然而是正确的）向“第三种人”的苏汶说：是的，你与其欺骗，与其做冒牌货，不如你还是去写你的吧（《论“第三种人”》——《南腔北调集》）。

历史一页一页的揭开，在写作理论上，我们也同样理解到他完整的伟大的光辉了！

一九三六，十二，三——四日

鲁迅的杂文

徐懋庸

一

“杂文”这两个字，现在是成为一种短文的专名了，含义里面已经没有什么恶意，但在首先用这名词的人，这原是一个不好的名字，因为这个“杂”字，在中国的历史上是一向居于被轻蔑的地位的，“杂户”，“杂流”，“杂家”，“杂种”，“杂技”，“杂学”……都不是正牌子的东西。后来到得正人君子们的手里，这更成了一个“恶谥”。对于鲁迅，早年北京的正人君子们曾送过“杂感家”的名称，因为那时他常写“随感录”。后来上海的正人君子们一看这不对了，因为他所写的短文，实在不只限于随感，也有学术论文，也有文艺批评，也有抒情散文，也有散文诗……“杂感”二字，不足以一网打尽，于是改用“杂文”两字，从此有“文”皆“杂”，都成为“鸡零狗碎的非真正的文艺作品”，一无足取了。

后来成了专名的“杂文”，范围却没有如此之广，那还是指“杂感”而言，关于这种“杂文”，鲁迅曾经说道：

> 我们试去查一通美国的“文学概论”或中国什么大学的讲义，的确，总不能发现一种叫作 Tsa-wen 的东西。这真要使有志于成为伟大的文学家的青年，见杂文而心灰意懒：原来这并不是爬进高尚的文学楼台去的梯子……
>
> 但是，杂文这东西，我却恐怕要侵入高尚的文学楼台去的。小说和戏曲，中国向来看作邪宗的，但一经西洋的“文学概论”列为正宗，我们也就奉之为宝贝，《红楼梦》、《西厢记》之类，在文学史上竟和《诗经》、《离骚》并列了。杂文中之一体的随笔，因为有人说它近于英国的 Essay，有些人也就顿首再拜，不敢轻薄。(《打杂集 · 序言》)

这类杂文有没有“侵入高尚的文学楼台”，我们且不去管它，但至少鲁迅的杂文，虽然有人以为最好应该选一下，其有“文艺价值”，则已不大有别的什么异义。然而，鲁迅自己实在是不大计算这个所谓“文艺价值”的，他所看重的乃是“社会价值”。曾经有这样的事：我的《打杂集》出版之后，张庚曾在天津《大公报》的“小公园”上发表一篇批评，说的是作者的文笔如何如何，鲁迅看到，就将这篇批评剪下寄给我，在旁批着道：

这篇批评，竭力将对于社会的意义抹杀，是歪曲的。但这是“小公园”一贯的宗旨。

张庚并非“小公园”中的人物，只是一个在外的投稿者，他并不遵守“小公园”的宗旨，而且也毫无“抹杀”对于社会的意义的意思，他当时只因对文笔说得多了一点，就没有工夫再多说关于社会意义的话罢了。鲁迅说他存心“歪曲”，实在是误会的，但由此可以看出他对于社会价值，是怎样看重了。

倘为什么“文艺价值”或“学术价值”计，鲁迅何尝不可以把他的所有的杂文分一分类，于短评之外另编几个“抒情文集”“文艺论集”来和别的文学家们争争短长。《为了忘却的纪念》那种文章所具有的文艺价值，《魏晋风度及文章与药及酒之关系》那种文章所具有的学术价值，恐怕是难以“抹杀”的罢。然而鲁迅实在很古怪，他自己也竟将各体的散文“一古脑儿”编在杂文集子中去，在《二心集》中，甚至于也收了一篇译文。这真成了夹夹杂杂。这并不是对于上海的正人君子们的杂文界说的讽刺，而是他自己的写作态度的表明。他是凡有写作，连有的翻译，虽然体式不同，题材各异，但总要使其对社会有斗争的意义的。他不想住“象牙塔”，也不想进“学士院”，他把文艺性，学术性的作品，也摆在“十字街头”，兼做斗争的武器。李长之说：

> 鲁迅的杂感集，自一九一八年写的《热风》为始，没有一年停过笔，到现在止（按，这是一九三五年的话），是在十余册以上了。就中正式的杂感集便有九个，就是：《热风》，《华盖集》，《华盖集续编》，《而已集》，《三闲集》，

《二心集》,《南腔北调集》,《伪自由书》,《准风月谈》;包括了杂感论文,合而为一,但大部分仍是杂感的,是:《坟》;名为诗,其实不过是凝炼的杂感的,是:《野草》;名为散文,其实依然不过是在回忆之中杂了抒情成分的杂感的,是:《朝花夕拾》;为鲁迅自己所有意或无意删却,又经别人集起来,称为《集外集》的,其中有几首诗,有几则编辑后记,但大部分,也还是杂感。(《鲁迅批判》)

这一段话有的地方有点古怪,但也说着了一种实在的情形。古怪的是李长之竟把“杂感”看成了一种固定的化学原素,性质又如此难以化合,搀在别的文体中还要使人看得出其为“杂感”。我想,一切文艺作品,总是有感而发的,没有感想,怎么会有“论文”,没有感想,又怎么会有“诗”与“散文”?普通的所谓“杂感”也者,乃是那些所感本极琐碎杂乱,随笔写出,所以形式也很随便的短文。但在鲁迅,虽是短短的“随感录”中,感想也并不琐碎杂乱,至于许多论文,笔路似乎散漫,其实组织很是严密，拉扯了许多琐事，却一贯以系统的思想，所以决不能说是“杂感”。至若所感的既发而为诗，那就成了诗，发而为散文，就成了散文，为什么一定还要说它们是“凝炼的杂感”或“抒情成文的杂感”呢？此说若通，则李白拜伦的诗何尝不是“凝炼的杂感”，高尔基的《在人间》何尝不是“在回忆之中杂了抒情成分的杂感”呢？李长之因为太爱把“杂感家”的名称送给鲁迅了，所以把“杂感”两字的含义扩大，差不多就等于“思想”，虽然用意与正人君子们不同，但怪论总是怪论。

但他也说着了一种实情，就是，鲁迅的论文以及诗和散文，也跟他的短评一样表现着他的一贯的思想，发挥着他的辛辣的批评，准对着他要攻击的现实。他的写论文，并不是为了要得博士学位，学者衔头，他的作诗，并不是为了要附庸风雅，甚至于他写忆旧的散文，也不是为“忆旧而忆旧”的，这的确是鲁迅和别的无“感”而作的作家不同之点，而正是他自己的一切作品所共通之点。

因这共通点，鲁迅也就自认他的小说以外的各体的散文为“杂文”，而“杂文”之名，因此倒辉煌了起来。

鲁迅的将一生大半的精力用于写“杂文”，并不是没出息，也并不是患了欲罢不能的“死症”，他是，实在从“杂文”这种作品里发现了“扫荡秽丑”的力量，而有意提倡，实践的。他不但自己做，并且也介绍。厨川白村的《出了象牙之塔》和鹤见祐辅的《思想·山水·人物》，——尤其是前者的翻译，对于中国的杂文的发达，影响之大，恐怕并不在他自己所作的杂文之下的。

他又从中国的古籍上，探寻现代的战斗的杂文的渊源：

> ……小品文的生存，也只仗着挣扎和战斗的。晋朝的清言，早和它的朝代一同消歇了。唐末诗风衰落。而小品文放了光辉。但罗隐的《谗书》，几乎全部是抗争和愤激之谈。皮日休和陆龟蒙自以为隐士，别人也称之为隐士，而看他们在《皮子文薮》和《笠泽丛书》中的小品文，并没有忘记天下，正是一塌糊涂的泥塘里的光彩和锋芒。明末的小品虽然比较的颓放，

却并非全是吟风弄月，其中有不平，有讽刺，有攻击，有破坏。(《小品文的危机》)

为“讽刺”，为“攻击”，为“破坏”，总而言之，为了“扫荡秽丑”。鲁迅创作了他的杂文，并且促进了中国的杂文制作。他知道自己的一把扫帚不够，所以他用了种种方法，教会多数的青年们，大家都使用“杂文”的扫帚。

鲁迅所倡导的杂文运动，是现代中国思想斗争上一种重要的武器的生产和使用。

二

对于鲁迅的杂文中的思想，何凝有过很中肯的批评，就是那《鲁迅杂感选集》的序言。那上面说：

鲁迅从进化论进到阶级论，从绅士阶级的逆子贰臣进到无产阶级和劳动群众的真正的友人，以至于战士。他是经历了辛亥革命以前直到现在的四分之一世纪的战斗，从痛苦的经验和深刻的观察之中，带着宝贵的革命传统到新的阵营里来的。……

历年的战斗和剧烈的转变给他许多经验和感觉，经过精炼和融化之后，流露在他的笔端。这些革命传统（revolutionary traditions）对于我们是非常之宝贵的，尤其是在集体主义的照耀之下：

第一、是最清醒的现实主义……

第二、是"韧"的战斗……

第三、是反自由主义……

第四、是反虚伪的精神……

自然，鲁迅的杂感的意义，不是这些简单的叙述所能够完全包括得了的。我们不过为着文艺战线的新的任务，特别指出杂感的价值和鲁迅在思想斗争史上的重要地位，我们应当向他学习，我们应当同着他前进。

鲁迅的杂文中所表现的精神是如此，我们应该学习他，这是毫无问题的。但在事实上学习鲁迅的人们，倒是学习文章的技巧者多于学习思想精神者，而且我知道有些“鲁迅迷”竟是反对着鲁迅的思想，而只欣赏他的文笔的。这种现象，自然是鲁迅的文笔的特色所致。但是鲁迅的文笔的特色是在那几点呢？

我所能举出的是如下的几点：

第一是理论的形象化　鲁迅的文章里面，是很少抽象的议论的，他利用丰富的生活经验，渊博的学艺知识，批评人事，能够替任何道理举出实际的例证，以小喻大，因著显微，又举得非常自然活泼，不像蒙丹臬（Montaiyne）的随笔中的罗列典故那样的可厌；我只见高尔基的论文，也有这个特色。这是得力于“见得多”，“记得牢”，“了解得深刻正确”这三点的。

第二是语汇的丰富和适当　鲁迅曾从章太炎学过小学，又多读古书，所以对于中国文字的理解很是正确，语汇又记得极多，所以使用起来能够多变而适宜。用成语古典能化腐朽为新奇。这事曾给施蛰存做了劝青年读《庄子》和《文选》的理由之一。但鲁迅自己，只承认他的文章是“改革道上的桥梁”，不是新的目标和范本。他的曾读古书因而能利用古书，是他的时代使然，现代的青年，在这一点，却无须学他，而且是不易学到的。现在我们要能丰富语汇，而且能适当使用，应该将现代的“活人的唇舌作为源泉”，去汲取，去练习。

第三是造句的灵活　这是古文的影响和外国文的影响融合的结果。用文言句而使人不觉其陈腐，用欧化句而使人不觉其生硬，新鲜而圆熟，并且音调流畅，可以朗读，所以特别有味，但跟口语相差很远，所以鲁迅的文句，是不合大众语文的准标的。

第四是修辞的特别　因为目的是战斗，所以鲁迅竭力要使他的文章的效果增强，而在修辞上特别用工夫。“然而呀，这里用得着然而了”，“又要然而了，然而……”，“铺张”或“扬厉”竟做到这样；特别善于利用“引用”，对于别人的文章只要用“”一勾，再轻轻一戳，就给暴露出破绽；至于常用“死话”，“冷话”，“倒反”，“暗示”之处，竟被人们认作是“绍兴师爷”的特色。

还有是行文的曲折之多。关于这一点，李长之曾说：

谁都知道鲁迅的杂感文有一种特殊的风

格，他的文字，有他的一种特殊的方式。倘若说出来，就是他的笔常是扩张又收缩的，仿佛放风筝，线松开了，却又猛然一提，仿佛开水流，却又预先在下流来一个闸，一张一弛，使人的精神，有一种快感。读者的思想，先是随着驰骋却终于兜回原处，也即是鲁迅所指定之所。这是鲁迅的文章之引人入胜的地方，却也是他占了胜利的地方。

他用什么扩张人的精神呢？就是那些："虽然"，"自然"，"然而"，"但是"，"倘若"，"如果"，"却"，"究竟"，"竟"，"不过"，"譬如"……他惯于用这些转折字，这些转折字用一个，就引人到一个处所，多用几个，就不啻多绕了许多湾儿，这便是风筝的松线，这便是流水的放闸。可是在一度扩张之后，他收缩了，那时他所用的是一个："总之"。(《鲁迅批判》)

李长之引了《华盖集续编》一九四页第六行到一九五页第九行的文章为例。但他的解释实在有点毛病，照他说来，鲁迅的行文的曲折好像是有意绕湾子，在原地方一张一弛。其实不然，鲁迅用的是“剥笋”式，他要暴露一个问题的真相，就动手把它的外面所有的皮依次剥去，剥了一层，“然而”还有一层，“不过”这一层样子不同了，“如果”剥进去，那还有许多，“倘”不剥完，就不会看出真相，这样的一层层的剥进去，最后告诉你“总之”真相如何，这就是深刻，像罗螺一样，愈绕愈深入，并不是平面上的兜圈子。

但这种现象，不关做法，其实是思想方法所产生的。鲁迅的思想方法，是合于辩证法的，就是，他不照呆板的逻辑，把问题放在孤立的状态中去思索。他把凡和这问题有联系的方面都想到，而且从它的发展状态中去想。我们倘不了解这一点，单是从“然而”，“总之”这些字面的转折上去欣赏他的文章而且去模仿他，那是没有好结果的。无谓的绕圈，只能使人眼花缭乱而已。

最后，我要说一说一件很可注意的事，那是鲁迅作杂文的态度。

在许多人的印象中，鲁迅作杂文的态度，是以自我为中心的，他常常站出“我”，说出“我以为”来。他自己还曾说过这样的话：

> 我早有点知道：我是大概以自己为主的。所谈的道理是“我以为”的道理，所记的情状是我所见的情状。听说一月以前，杏花和碧桃都开过了。我没有见，我就不以为有杏花和碧桃。
>
> 然而那些东西是存在的。——学者们怕要说。
>
> ——好！那么，由它去罢。——这是我敬谨回禀学者们的话。(《华盖集续编》)

并且，人们以为鲁迅最厉害的地方是攻击个人，有《华盖集》和《华盖集续编》为证。

这是实在的，但并不尽然。要明白这事的实情，我们得把鲁迅所有的杂文集按着年代，顺次地看一下：

最初的一本《热风》——一九一八年到一九二二年所作——这里面的文章，没有讲到自己的私事，也不讲别人的私事。

《坟》的前面一部分，全是正面的论文，创作的时代或比《热风》还早，或较稍迟，一九二四年以后所作的后半才有谈自己的私事的文字。

《华盖集》和《华盖集续编》说自己私人和攻击别人的阴私者特多。这两书的文章，是一九二五、一九二六两年中所作的。

《而已集》和《三闲集》，是一九二七年到一九二九年的作品。这里面讲私人私事的文章比较少了，但作风还偏于讽刺。

一九三〇年以后的《二心集》，《南腔北调集》，《伪自由书》，《准风月谈》，《花边文学》等书中，完全从私事上谈自己和别人的文章，简直绝无仅有，而且积极立论的长文很多。在《二心集》的序言中，他还说过这样的话：

> ……而且我时时说些自己的事情，怎样地在“碰壁”，怎样地在做蜗牛，好像全世界的苦恼，萃于一身，在替大众受罪似的：也正是中产的知识阶级分子的坏脾气。

此后就只有在一九三五、一九三六两年，病后和将死之前，写过几篇说自己的生活的文章。

这现象是有重大的意义的，我们知道，鲁迅写《热风》中的杂文的时候，正是《新青年》时代，那时他是一个在集体中的斗士，如他自己所说，凡事是“奉将令”的“遵命文学”，“步调是和大家一致的”。后来《新青年》的团体散了，于是他成为孤独的斗士，他曾经这样的述说当时的自己：

> 《新青年》的团体散掉了，有的高升，有的退隐，有的前进，我又经历了一回同一战阵中的伙伴还是会这么变化，并且落得一个所谓“小说家”的头衔，依然在沙漠上走来走去，不过已经逃不脱在散漫的刊物上做文字，叫作随便谈谈……
>
> 新的战友在那里呢？我想这样下去，是很不好的，……（《自选集·自序》）

“两间余一卒，荷戟独彷徨”。在这样的独自彷徨中，就产生了《华盖集》和《华盖集续编》中所表现的那种战斗，所搜集的那种文字。一离集体，就格外觉得自己，而且只见个人的对象，这是极其自然的。这样的直到一九三〇年，他才又成了集体的战士，因为这集体更进步，更广大，斗争更猛烈，所以《二心集》中的杂文就成了“不是匕首，而是大炮，文字已脱却尖刻，变为倾注的光景，深厚多了”。从《伪自由书》的时代起，虽因环境关系，又返于做尖刻的短评，但所表现的仍是集体的意志并无私人的影子的闪烁。

这是对于我们的一个很大的教训：凡人，当他是孤立的个人的时候，和他是集体的一员的时候，性质是完全不同的。

鲁迅与民族解放运动

汉　夫

一　辛亥革命前

鲁迅是莱谟斯，是野兽的奶汁所喂养大的，是封建宗法社会的逆子，是绅士阶级的贰臣，而同时也是一些浪漫谛克的革命家的诤友！他从他自己的道路回到了狼的怀抱。（《鲁迅杂感选集》中何凝序中语）

鲁迅自己说：

因为从旧垒中来，情形看得较为分明，反戈一击，易制强敌的死命。（《坟·写在〈坟〉后面》）

鲁迅“在幼小时候，家里还有四五十亩水田，并不很愁生计”。“父亲是读书的；母亲姓鲁，乡下人，她以自修得到能够看书的能力。”“但是到十三岁时，我家忽然遭了一场很大的变故，几乎什么也没有了；我寄住在一个亲戚家，有时还被称为乞食者。我于是决心回家，而我的父亲又生了重病，约有三年多，死去了。我渐至于连极少的学费也无法可想；我的母亲便给我筹办了一点旅费，教我去寻无需学费的学校去，因为我总不肯学做幕友或商人，——这是我乡衰落了的读书人家子弟所常走的两条路。”（《集外集》中《自叙传略》）

鲁迅十三岁时（一八九四年）正是甲午之战的那年，也正是兴中会起来的那年。他在这年，从“不很愁生计”转而为“几乎什么也没有了”，甚至于被人称为“乞食者”。到了十八岁时（一八九九年），已有戊戌变法（一八九八年），他便“旅行到南京，考入水师学堂了”（同前）。半年后，改进矿路学堂。毕业后，派赴日本，决意学医。学了两年。“这时正值俄日战争（一九〇三年）……因此又觉得中国还应该先提倡新文艺。”“我又想往德国去，也失败了。”终于在二十九岁时（一九一〇年），因为家庭经济需要帮助而回到中国来。

鲁迅和农民有比较巩固的联系。他出自士大夫的家庭，但是他的家庭的败落，使他“混进了野孩子的群里，呼吸着小百姓的空气”（何凝）。使他感觉到纵然是亲戚，在你什么也没有了的时候，也要称你为“乞食者”。这里就使鲁迅在儿童时代就培育了对奚落和冷潮——这宗法社会给他的（给乞食者的）奚落和冷潮的反抗心。而甲午之战，戊戌变法，庚子事件（一九〇〇年），日俄战争等都给鲁迅莫大的影响。中国应该“变”，应该“用科学来变”。他入水师和矿路就是要学科学。他在日本学医，“**原因之一是因为我确知道了新的医学对于日本的维新有很大的助力**”（《自叙传略》）。就是他想去德国，也正是因为德国的科学发达的缘故。他曾“偶然在电影上看见一个中国人因做侦探而将被斩，因此又觉得在中国还应该先提倡新文艺”（同前）。正是因为被绑的中国人，“一样是强壮的体格，**而显出麻木的精神**”（《呐喊·自序》）。所以，鲁迅觉得提倡科学固然要紧，但是麻木的精神，被宗法社会束缚着的精神，如果不得解放，就是有科学，有强壮的体格，也不会对民族有何裨益。何况麻木的精神就是阻挠科学的提倡的。因此，攻击宗法社会，解放人民的精神成了应先提倡的了。而且还应该用“新文艺”。“八股文”等等只有使麻木的精神更麻木，他说：“中国人向来因为不敢正视人生，只好瞒和骗，由此也生出瞒和骗的文艺来，由这文艺，更令中国人更深的陷入瞒和骗的大泽中，甚而至于已经不自觉得。”（《坟·论睁了眼看》）所以只有新文艺才能解放麻木，使人民有反抗和前进的战斗精神。**鲁迅以为思想解放是民族解放的第一步**。

鲁迅在一九〇七年（二十六岁）时，在《文化偏至论》就攻击时政，号召反抗。在《摩罗诗力说》中更说要“**举一切诗人中，凡立意在反抗，指归在动作，而为世所不甚愉悦者悉入之**”。在一九〇九年印行的《域外小说集》中，也特别注意叫喊和反抗的作品和被压迫民族的作者。

鲁迅在辛亥革命前，就立意以**科学反对复古，以叫喊和反抗来改造麻木的精神，以新文艺为动作的起点**。

二　从辛亥革命到五四前后

迫于家庭经济的需要帮助而回国，固然是不得已，但是，却也提早的给鲁迅以实现他的志愿的机会。

鲁迅对辛亥革命时的意见是：

> 说起民元的事来，那时确是光明得多，当时我也在南京教育部，觉得中国将来很有希望。（《两地书》一九页）

当然，鲁迅只是觉得中国将来很有希望，而并没有认为辛亥革命已经推翻宗法社会。实际上，排满算是达到目的，但是，封建思想仍然浓厚，民治并未实现，科学仍未能“昌明”，袁世凯的统治并不见比满清高明。所以他接着说：

> 自然，那时恶劣分子固然也有的，然而他总失败。一到二年二次革命失败之后，即渐渐坏下去，坏而又坏，遂成了现在的情形。”（《两

地书》一九页，时为一九二五年）

所以弄到这样坏的原因，归根结底，还是中国没有彻底的改造。没有将改造深入群众，没有使辛亥革命和二次革命成为群众的。如果革命而与国民无关，那只是红脸进白脸出的换朝代，而不是民族的解放。鲁迅说：

> 其实这也不是新添的坏，**乃是涂饰的新漆剥落已尽，于是旧相又显了出来。使奴才主持家政，那里会有好样子。**最初的革命是排满，容易做到的，其次的改革是要国民改革自己的坏根性，于是就不肯了。所以此后最要紧的是改革国民性，否则，无论是专制，是共和，是什么什么，**招牌虽换，货色照旧，全不行的。**（同前）

鲁迅认定了民族解放要紧的是换“货色”。所谓换货色，就是反对封建，争自由，改造国民性。鲁迅在此地没有特别提出反对帝国主义，怕也不是他的忽略。因为他所着重的是怎样改造国民性，准备足以反帝反封建的国力。

但是，鲁迅的参加思想革命：是在五四时代开始的。“我们说他的‘参加’开始，是因为在这之前，还没有什么可以参加的，他还只能够孤独的‘沉思’。而在《新青年》发动了‘新文化’斗争之后，反国故派方才成为整个的队伍。”（何凝）

辛亥革命和二次革命失败后是“坏而又坏”，鲁迅要“国民改革自己的坏根性”。到他在《新青年》写文章的时候为止，国际和国内都有了几桩值得注意的大事（《新青年》是一九一五年九月创刊的。鲁迅在《新青年》写文章是在三年后的一九一八年）。国外的，有欧洲大战和俄国的十月革命，国内的，“二十一条”的签字，袁世凯的称帝，张勋复辟，中国参加欧战和战胜的欢呼，南北的对峙和北京政府的黑暗如昔。

鲁迅认为封建军阀，官僚买办是要竭力维持一切的国故的。如“宗法社会的旧道德，忠孝节义和腐烂发臭的古文化”。而袁世凯称帝，张勋复辟等丑剧的一再出现，也证明了排满容易，改革国民的坏根性就“不肯了”。也就是说，不掀起广大的反封建复古的运动，无从有彻底的改革。鲁迅也认为欧战的胜利并不是中国的胜利，对这胜利并不值得狂欢，倒要反省才是。而十月革命和陈独秀创办的急进的《新青年》，必然的对于富于叫喊和反抗的鲁迅有着很大的影响。

鲁迅正是在这个时候，开始向封建文化做猛烈的攻击。他说：

> 据我看来，要救治这“几至国亡种灭”的中国，那种“孔圣人张天师传言自山东来”的方法，是全不对症的，只有这鬼话的对头的科学！——不是皮毛的真正科学！（《热风·杂感三十三》）

这是斩钉断铁的说出了救治不在复古和神灵，而在真正的科学。这是对症的药方。

> 但是想在现今的世界上，协同生长，挣一地位，即须有相当进步的智识，道德，品格，

思想，才能够站得住脚：这事极须劳力费心。

（同前：第三十六）

要科学和进步的知识、道德、品格和思想，就不能靠经验。主张只要经验反对理想的人们，是“卫道”，是“存古”，是维持宗法社会。因为，这般人的经验“便是从清朝得来的”。所以他们喊“中国与众不同”，“一味理想，殊堪痛恨”，正是反对科学和进步思想的一道护符。奴才主持家政，本来那里会有好样子，就是在孔圣人张天师的外表涂上一层洋漆，“学了外国本领，保存中国旧习。本领要新，思想要旧”（同前：第四十八）。也不过是为了发挥多年经验的老本领。同样是应该反对的。“要想进步，要想太平，总得连根的拔去了‘二重思想’。因为世界虽然不小，但彷徨的人种，是终竟寻不出位置的。”（同前：第五十四）

但是，在辛亥以后，这种单重复古，二重思想却盛行着。“四万万中国人嘴里发出来的声音，竟至总共不值一哂。”这还不说，“明明是现代人，吸着现在的空气，却偏要勒派朽腐的名教，僵死的语言，侮蔑尽现在”。

这种黑暗的统治，杀人的宗法社会，“都是‘现在的屠杀者’。杀了‘现在’，也便杀了‘将来’”（《热风·现在的屠杀者》）。

对这种社会再不反抗，民族真是要“国亡种灭”了啊！

鲁迅在批评那些在欧战结束时表示“人道这句话是骗人的”时，曾竭力要大家能“不满”。

> 不满是向上的车轮，能够载着不自满的人类，向人道前进。
>
> **多有不自满的人的种族，永远前进、永远有希望。**（同前:《不满》）
>
> 不平还是改造的引线，但必须先改造了自己，再改造社会，改造世界；万不可单是不平。至于愤恨，却几乎全无用处。（同前:《恨恨而死》）
>
> 生命的路是进步的，总是沿着无限的精神三角形的斜面向上走，什么都阻止他不得。无论什么黑暗来防范思潮，什么悲惨来袭击社会，什么罪恶来亵渎人道，人类的渴仰完全的

潜力，总是踏了这些铁蒺藜向前进。

什么是路？就是从没有路的地方踐踏出来的，从只有荆棘的地方开辟出来的。（同前：《生命之路》）

鲁迅这些说话，不是“心理建设”之类的东西，而是感觉锐敏的导师，向人们，特别是青年们指出中国的病症的来源，病象和对症的药。这不仅根据鲁迅的经验，还根据他的理想，他是从现实中锻炼出来指示出现实中的生命的路。要人们，特别是青年们，**从没有路中踏践出路来，认识“荆棘”，从“荆棘”中开辟出路来**。这，**非要认识“现在”不可，更非有对将来的“现在”有理想不可。这的确是从理论和实践出发的**。

五四运动虽然是直接起因于巴黎和会对山东问题的处置，是帝国主义牺牲殖民地半殖民地国家的结果，但是这不可否认的是国故派和欧化派，“德谟克拉西”及“赛恩斯”的联盟和封建复古，“不满”“生命的路”和“卫道”“死亡的路”的斗争的一个爆发，是反帝反封建的一次伟大的表现。这，是和鲁迅在五四前的言论，《新青年》一派人的言论是有密切关系的。**这是改革国民的坏根性的过程中的有力的成就的表现。**

鲁迅说："五四运动之后，我没有写什么文字，现在已经说不清是不做，还是散失消灭的了。"(《热风·题记》)但是，他之所以不写文字，恐怕还是因为"自《新青年》出版以来，一切应之而嘲骂改革，后来又赞成改革，后来又嘲骂改革者，现在拟态的制服早已破碎，显出自身的本相来了，真所谓'事实胜于雄辩'，又何待于纸笔喉舌的批评"(同前)。而且后来的情形和五四"**那时并没有大两样**"，所以以前对于时弊的攻击，也还可以保留。在鲁迅看来，五四时的革新运动"**表面上却颇有些成功**"，实质上，后来和五四前后并没有大两样，所以，以前所说的，仍然有效，而是应更加努力。我们如果能在五四后，仍不断的得到鲁迅的指导，当然就更能正当而迅速的从"荆棘"中辟新路了。这是我们至今还感觉到的憾事吧?

但是，**鲁迅并没有停滞，在《呐喊》里的小说，和对"国学家"而发的短文，仍是攻击封建文化和暴露旧社会的。**

三 “五卅”、“三·一八”和大革命的开始

> 五四到“五卅”前后，中国思想界里逐步的准备着第二次的“伟大的分裂”。这一次已经不是国故和新文化的分别，而是新文化内部的分裂：一方面是工农民众的阵营，别方面是依附封建残余的资产阶级。这新的反动思想，经了已经披了欧化，或所谓五四化的新衣服。（何凝）

这时期有过反英帝国主义的省港罢工，有国民党的改组，国共的合作。广东在孙中山先生的三大政策下已经成了反帝反封建的民族解放运动的中心。这个坚强中心的建立，影响到全国的工农大众和一切反帝反封建的人们。中山先生的北上，使他的主张和政策，席卷了北方的民众。中山先生虽去世，反帝反封建运动却仍继续的猛烈的开展。随上海工商学界的不可遏的反帝运动怒潮，发生了“五卅惨案”。在北京，段祺瑞在国民军驱逐溥仪之后，做了临时执政。随北京民众反对帝国主义

封锁大沽口的运动，发生了执政府前民众流血的“三·一八惨案”。在革命中心的广州，已经成立了国民政府了。在伟大的大革命时期的开始中，民众和帝国主义反动统治的斗争，是日趋激烈。

“叫喊”“反抗”“从荆棘中开辟生路”的鲁迅是更兴奋更努力的“叫喊”和“反抗”了。五四时代的一部分牛津剑桥哥伦比亚的学究，随着卫道先生们的没落，而投入黑暗统治的怀里去了。

鲁迅叫喊着（在一九二五年二月间）：

> 我觉得仿佛久没有所谓中华民国。
>
> 我觉得革命以前，我是做奴隶；革命以后不多久，就受了奴隶的骗，变成他们的奴隶了。
>
> 我觉得有许多民国国民而是民国的敌人。

又说：

> **我觉得什么都要从新做过。**（《华盖集·忽然想到之三》）

不错，国民党改组，国共合作，联俄，反帝罢工，反帝示威，思想的解放，民主自由的获得，国民政府（广州）的成立，党军的训练，都是“从新做过”。这“从新做过”是以农工商学兵的各阶层的联合的姿态出现的，是从**群众的**（改革着坏根性的群众的）反帝反黑暗统治做起的。

清醒的现实主义者的鲁迅，认清了和根据了现实，号召和指示青年来参加和推进伟大的民族解放的革命运动。

这时他不仅反对封建的“中庸”，也反对资产阶级的“费厄泼赖”（Fair Play）。这时，主张“中庸”和“费厄泼赖”的人们——复古派和披了五四化的衣服的哥伦比亚的学究，是脉脉相通的在助长“国学”和“卫道”，是在维护黑暗势力啊！

鲁迅认为听天任命和中庸的根柢是卑怯。“遇见强者，不敢反抗，便以‘中庸’这些话来粉饰，聊以自慰。”（《华盖集·致旭生先生书》）他的著名的“打落水狗”（《坟·论费厄泼赖应该缓行》），就是反对自由主义，反对妥协主义的宣言。反对国故和卫道，反对黑暗势力，

应该彻底！不能够因为披了新衣而复活，就认为又是一等人了。鲁迅喊：**"要打就得打到底。"**

> 世上如果还有真要活的人们，就先该**敢说，敢笑，敢哭，敢怒，敢骂，敢打，在这可诅咒的地方击退了可诅咒的时代！**（《华盖集·忽然想到之五》）
>
> 我们目下的当务之急，是：一要生存，二要温饱，三要发展。**苟有阻碍这前途者，无论是古是今，是人是鬼，……全都踏倒他。**（同前：之六）
>
> **死于敌手之锋刃，不足悲苦……**（《华盖集·杂感》）

这种的战斗精神，无疑义的鼓励了不少青年。可是鲁迅丝毫没有忘记叫孩子们提防着"怯"者的"锋刃"。从女师大风潮时那些卑怯的"中庸"和"费厄泼赖"的先生们的横暴，"三·一八"时他们的帮凶看来，先觉的鲁迅的绝早的提醒，是很可钦佩的。他早就说：

勇者愤怒，抽刃向更强者；怯者愤怒，却抽刃向更弱者。不可救药的民族中，一定有许多英雄，专向孩子们瞪眼，这些孱头们！（同前）

鲁迅时时刻刻指示青年，反帝和反黑暗统治是不可分的。时时刻刻要青年在一致对外时，提防帮凶和弄手。

上海的英国捕头残杀市民之后，我们就大惊愤，大嚷道：伪文明人的真面目显露了！那么，足见以前还以为他们有些真文明。**然而中国有枪阶级的焚掠市民，屠杀平民，却向来不很有人抗议。莫非因为动手的是"国货"……**（《华盖集·忽然想到之十一》）

我敢于说，中国人中，仇视那真诚的青年的眼光，有的比英国或日本人还凶险。为"排货"复仇的，倒不一定是外国人！

要中国好起来，还得做别样的工作。（同前）

鲁迅要青年人和社会上各色人物接触，“看看我们究竟有着怎样的‘同胞’”。“即使所发现的并无所谓同胞，也可以从头创造的；即使所发现的不过完全黑暗，也可以和黑暗战斗的。”（同前）

鲁迅要青年们去“创造”去“和黑暗战斗”。说：“应该活动，活动而有若干失错，也不要紧。”“路上的危险，当然是有的，但这是求生的偶然的危险，无从逃避。”如果能“**寻朋友，联合起来，同向着似乎可以生存的方向走**”，就可以他们的“生力”，将深林辟成平地，在旷野栽种树木，在沙漠开掘井泉。要紧的是不单空手鼓舞民气，还同时设法增强国民的实力（联合起来）！而且还要“**永远这样的干下去**”，因为，“**不以实力为根本的民气，结果也只能以固有而不假外求的天灵盖自豪，也是就以自暴自弃当作得胜**”（《华盖集 · 补白》）。如果能永远这样干下去，“**即使慢，驰而不息，纵令落后，纵令失败，但一定可以达到他所向的目标**”（同前）。

鲁迅在这时期，不仅对青年给了这些指示，还亲身参加了反对黑暗，反对和黑暗勾结的披了欧化衣服的那些西洋国故派的学究的斗争。他是站在工农民众的阵营，

和依附封建残余的资产阶级作战。

女师大的风潮，起因于杨荫榆任校长（这是一位和陈西滢等《现代评论》派的人同类的欧化的贤妻良母主义者），和章士钊的“整顿学风”（这又是一位国故派而在欧洲烫过金的，现在正在做冀察政委会的不小的官呢！）。“整顿学风”当然要用军警殴打，老妈帮凶，和一切卑鄙和高压的手段。反对国故和西洋国故的学究，当然要反抗。前者和压迫不可分，后者却又和反抗不可离。

鲁迅当然是站在后者的一方。陈西滢等“正人君子”的讥笑辱骂和明枪暗箭，章士钊（时任教育总长）的革鲁迅的职，都没有能损害鲁迅的丝毫，只有显出陈章这**典型的恐惧无力**，他们的黑暗和恶毒。鲁迅绝不停止对他们的暴露和攻击。他痛快的骂这些“媚态的猫”，“比它主人更恶厉的狗”，“吸人的血还要预先哼哼地发一通议论的蚊子”……何凝先生说的很对：“揭穿这些卑劣，懦怯，无耻，虚伪而又残酷的刽子手和奴才的假面具，是战争之中不可少的阵线。”（《鲁迅杂感选集·序》）

“三·一八”的北京的群众反帝运动，给鲁迅以比“五卅”更大和更深的印象。这不但是因为“五卅惨案”一般的给北方民众的兴奋比较给上海的差，这是有不少主观和客观的原因的。同时也因为鲁迅在北京，对“三·一八事件”看得更清楚，而“三·一八”的帮凶，正是鲁迅曾经坚决的和他们斗争过的一群。

鲁迅是怎样的描写段祺瑞在“三·一八”的屠杀啊！

> **如此残虐阴狠的行为，不但在禽兽中所未曾见，便是在人类中也极少有的，除却俄皇尼古拉二世使可萨克兵击杀民众的事，仅有一点相像。**（《华盖续集：无花蔷薇之二》）

鲁迅又是怎样的痛骂当局啊！

> **中国只任虎狼侵食，谁也不管。管的只有几个年青的学生，**他们本应该安心读书的，而时局飘摇得他们安心不下。假如当局者稍有良心，应该如何反躬自责，激发一点天良？
>
> **然而竟将他们虐杀了！**（同前）

鲁迅在那时已经看到大革命的到来：

这不是一件事的结束，是一件事的开头。

墨写的谎说，决掩不住血写的事实。

血债必须用同物偿还。拖欠得愈久，就要付更大的利息！

鲁迅在“民国以来最黑暗的一天”写的预言，就有大革命的急剧发达证实。

“三·一八惨案”发生后，只觉得大家没有更早的和鲁迅似的打击《现代评论》派的这些“正人君子”！他们在“五卅”时无耻的说打倒帝国主义的口号是“分裂与猜忌的现象”（徐志摩）。这些“媚态的猫”，大声疾呼的说“五卅惨案”“要公正的”调查团先调查了事实再说（这些费厄泼赖先生们觉得中国人是应该被英捕打死的）。女师大风潮时也是黑暗的维护者。到了“三·一八”时，又说“执政府前原是‘死地’，……群众领袖应负道义上的责任”。以“讨赤”自任的说青年是该死的。鲁迅说：“我还欠刻毒。”是的！我们还欠刻毒。

鲁迅已经不仅是攻击封建文化和暴露旧社会了。他在不断的，一步逼紧一步的，短兵相接的和黑暗势力作坚强的斗争，指示从“荆棘”中怎样开辟出新路来。他是有伟大的人格和战斗精神的民族解放运动的战士。他的犀利的文章，使黑暗势力发抖，使光明前途照耀，成了黑暗的照妖镜，光明的指路牌。——但愿这样的请愿，从此停止就好。继续战斗者应该以别种方法战斗了！——革命。

四　大革命中

> 其实“革命”是并不稀奇的，惟其有了它，社会才会改革，人类才会进步。(《而已集·革命时代的文学》)

北伐开始了。这是革命。鲁迅对革命有那样的了解，对革命自然有很大的热望。正当他在北京被黑暗势力和“正人君子”嫉恨而和其他四十九人被通缉时，他南下了。到靠近革命策源地的厦门。

鲁迅对北伐军事的胜利是异常关心的。《两地书》第二集中的通信，有不少报告北伐胜利的消息，这些消息，是“极快人意”的。

但是，到了厦门，还看得见“胡适之的信徒”“现代派”的人物。本来，这些都不是“人”的问题，这是有社会基础的一个阶层啊！鲁迅在厦门就没有和在北京似的向这群人做斗争——虽然也曾写过文章演讲，但是没有和这群人正面的尖锐的冲突。他说：

> 我想这实在难对付，譬如要我去和此辈周旋，就必须将别的事情放下，另用一番心机，本业抛荒，所得的成绩就很有限了。“现代派”学者之无不浅薄，即因分心于此等下流事情之故也。(《两地书》)

鲁迅不愿“分心于此等下流事情”。可是,“现代派”却又要猖獗了。

他于一九二七年一月离厦门到广州。他目睹的革命策源地，已经和一九二四年国民党改组时和北伐开始前后的广州不同了一些。

他想“到广州后，对于绅士们仍然加以打击，至多无非不能回北京。第二是与创造社联合起来，造一条联合战线，再向旧社会进攻”(《两地书》)。可是，到广州后，“后来才悟到这不过是奉旨革命现象”(《三闲集》)。

他沉默了。“但现在沉默的原因……单就近时而言，则大原因之一是：我恐怖了。而且这种恐怖，我觉得从来没有经验过。”(《而已集·答有恒先生》)

他又“听说他们（陈源［西滢］教授之流）已经别离了最佩服的‘孤桐先生’（即章士钊），而到青天白日旗下来革命了。我想，只要青天白日旗插远去，恐怕‘孤桐先生’也会来革命的”（同前）。

顾颉刚教授也说要去广州，要他“勿离广州，以俟开审”。

他所反对的攻击的，一个个来了，当时的革命策源地，怎使他不失望？接着，他作序，不能用了，他题的签，也撤换了。鲁迅二字在报纸上不允准再有出现了。有人还要他和他曾攻击过反对过的一群人合作。再接着，牵牵连连的“瓜蔓抄”盛行，使他觉得“做今人和做古人也一样难”（《两地书·序言》）。禁不住要喊一声：“阿呀，仁兄，**你看这怎么得了呀！逃掉了五色旗下的‘铁窗斧钺风味’**，而在青天白日之下又有‘累绁之忧’了。”（《而已集·通信》——致小峰书）

那些“**欧化绅士和洋场市侩，后来就和‘革命军人’结合了新的帮口，于是僵尸统治，变成了戏子统治。僵尸还要做戏，自然再可怕也没有了**”（何凝）。

鲁迅是沉默了。但是没有停止对英帝国主义和它利用来统治殖民地的孔教和复古的攻击。在《而已集》和《三闲集》中有不少篇杂感是为此而发的。

广州清党，宁汉分裂。鲁迅在“二七年被血吓得目瞪口呆，离开广东的，那些吞吞吐吐没有胆子直说的话，都载在《而已集》里”。本文也不便多说了。

何凝先生说：“这些早期的革命作家，**反映着封建宗法社会崩溃的过程，时常不是立刻就能够脱离个性主义——怀疑群众的倾向的。他们看见到群众——农民小私有者的群众的自私，盲目，迷信，自欺，甚至于驯服的奴隶性，可是，往往看不见这种群众的‘革命可能性’，看不见是他们的笨拙的守旧的口号背后隐藏着革**

命的价值。”这对鲁迅在广州和离广州后的批评，是再正确不过的了。鲁迅看到了恐怖，可没特别注意到荆棘中可以有新辟的路在。所以，常常“引起他对于革命失败的一时的失望和悲观”（何凝）。

五　革命失败后

但是，鲁迅对于革命并没有失望和悲观，他在荆棘中，寻找到了新的路出来。他看到新的黑暗，可是，黑暗中显出的新的光明，是更光亮了。

正是在一九二八——一九三一年间，“鲁迅的思想反映着一般被蹂躏被侮辱被欺骗的人们的彷徨和愤激，他才从进化论最终的走到了阶级论，从进取的争求解放个性主义进到了战斗的改造世界的集体主义”（何凝）。他现在更清楚的见到在封建式的阶级对抗之外，正在发展着资本和劳动的对抗。他说：

> 原先是憎恶这熟识的本阶级，毫不可惜它的溃灭，后来由于事实的教训，以为惟有新兴

的无产者才有将来。(《二心集·序言》)

这些“事实的教训”正是指新的黑暗的凶残卑鄙，新的光明的辉煌照耀。此地当然不必多说。

从进化论进到阶级论，从绅士阶级的逆子贰臣进到无产者和劳苦大众的真正的朋友，以至于战士的鲁迅，只有使黑暗更遭痛击，使光明更照大众！

鲁迅在这时期参加了自由大同盟，组织并领导了左翼作家联盟。鲁迅是战士，是战地的一个坚强的指挥。

他在《对于左翼作家联盟的意见》的演讲词中所说的一切，是对每一个参加民族解放运动的人的指示。他说：

第一：倘若不和实际的社会斗争接触，单关在玻璃窗内做文章，研究问题，那是无论怎样的激烈，“左”是容易做办到的；然而一碰到实际，便即刻要撞碎了。

第二：倘不明白革命的实际情形，也容易变成“右翼”。

今后应注意的几点是：

第一：**对于旧社会和旧势力的斗争，必须坚决，持久不断，而且注重实力。**

第二：**战线应该扩大。**

第三：**应当造成大群的新的战士。**

最后：**联合战线是以有共同目的为必要条件的。**

这些宝贵的指示，那个人能忽视呢？为了革命斗争，为了民族解放，这些不都是完全正确的原则，都是每个战士不能一刻遗忘的指针吗？

这些话是在一九三一年三月间说的。“谨案在清党以后的党国里，……捕杀的网罗，张遍了全中国……这实在只好变了真的蜗牛，才有‘庶几得免于罪戾’的幸福了。”“当三〇年的时候，期刊已渐渐的少见，有些是不能按期出版了，大约是受了逐日加紧的压迫。”（《二心集·序言》）但是，**鲁迅并不畏忌，畏忌的倒是旧社**

会和黑暗势力。鲁迅也不像先前那样单单不满于现状，也不只于和黑暗奋斗，鲁迅已站在有将来的新兴阶层这方面，努力于“造成大群的新战士”，“注重实力”，“扩大战线”，对旧社会和旧势力作坚决的，“持久不断”的斗争。鲁迅坚决的相信，这是民族解放的惟一的出路。

正因为如此，他更不断的暴露黑暗势力的残暴，攻击“新月派”的无耻，揭露“民族主义文学”实质。只要去读鲁迅在这时期的杂感短评就可以知道。不必多引。

六 “九 · 一八”，“一 · 二八”

鲁迅在大革命失败，黑暗笼罩全中国，而在黑暗中已见了新光明中，做着那样准备持久战的战士的工作，使“九 · 一八”，“一 · 二八”时的黑暗更尽情的普遍的暴露，也使那时的反抗中有了更多更坚的战士。“‘九·一八’以后的杂感，我们不用多说，他是站在战斗的前线，站在自己的哨位上”（何凝）。

他曾反对不抵抗主义，也曾反对对学生救国运动的侮蔑和压制（请参看《不三不四集》[即《伪自由书》]·《崇实》,《战略关系》等篇),他曾反对失败主义(请参看同书:《对于战争的祈祷》),他曾反对《李顿报告书》和作为这报告书根据之一的“中国人自己发明的‘国际合作以开发中国的计划’的国际合作学说”(见《伸冤》),和刀枪下的媚外的“国家意识的统一力量”(同前),他在“以夷制夷中揭开了‘以华制华’的黑幕”,他在《安内与攘外》(被改为《文章与题目》!)中说明攘外必先安内的只安内而不攘外,在《天上地下》中则已经指出了“共同防共”的前途了啊!鲁迅没有做什么长篇大论的政治论文,在《不三不四集》里的短文里,都已充满了观察敏锐的正直言论!

鲁迅指出苏联是劳苦大众的模范,是中国的朋友。

> 苏联的工农都像了人样,于资本家和地主是极不利的,所以一定先要歼灭了这工农大众的模范。苏联愈平常,他们就愈害怕。

苏联是“一个簇新的,真正空前的社会制度从地狱底里涌现而去,几万万的群众自己做了支配自己命运的人。这种极平常的事情，是只有‘匪徒’才干得出来的。该杀者，‘匪徒’也”。

他们（所谓文明国人）是大骗子，他们说苏联坏，要进攻苏联。就可见苏联是好的了。(《南腔北调集·林克多〈苏联见闻录〉序》)

帝国主义的奴才要去打，自己（！）跟着它的主人去打去就是。我们人民和它们是利害完全相反的。我们反对进攻苏联。我们倒要打倒进攻苏联的恶鬼，无论它说着怎样甜腻的话头，装着怎样公正的面孔。

这才也是我们自己的生路！（同前:《我们不再受骗了》)

是的，民族解放的生活，是反对进攻苏联，是“打倒进攻苏联的恶魔”！

鲁迅指示我们：**反对帝国主义和它的奴才，停止内战，一致对外，联合以平等待我之民族是“我们自己的生路”！**

七　全国救国运动的怒潮

早在一九三三年五月底，鲁迅就说：

看罢，妨害北平的治安的是日军呢，还是人民！（《南腔北调集·〈守常全集〉题记》）

我们总不会忘记这三年来不但在北平，在整个华北，而且还在沿海沿江一带的破坏治安的是谁吧？

敌军是在猛进的吞并中国，帝国主义的奴才，有的跟着它的主人去杀中国人，有的听着它的主人来杀中国人，可是，血，全国人民救国的热血，“不但不掩于墨写的谎语，不醉于墨写的挽歌；威力也压它不住，因为它已经骗不过，打不死了”（《华盖续集·无花的蔷薇之二》）。

鲁迅在全国人民怒潮般的要求一致抗敌的时候，他鼓励救国运动并指导着战士。

他认为去冬以来的“学生运动，比较以前进步得多，这是一个可喜的现象”！所说“进步”是指“能够很清楚的认识横梗在民族解放斗争前程一切明明暗暗的敌人，他们也知道深入下层，体验他们所需要体验的生活，组织农民，工人，加紧推动这些民族解放斗争的主力军。在行动方面，比如组织的严密，遵守集团的纪律，优越战术的运用……”他要我们“再进一步的斗争下去”，以保障已得的胜利，并在斗争的过程中，充实自己的力量，学习一切有效的战术。同时又指示我们，“在斗争过程中，决不能在战略上或任何方面，有一点忽略，因为就是小小的忽略，毫厘的错误，都是整个战斗失败的泉源啊！”（《几个重要问题》）

“民族危难到了现在这样的地步，联合战线这口号的提出，当然也是必要的。”（同前）“中国目前的革命的政党向全国人民所提出的抗日统一战线的政策，我是看见的，我是拥护的，我无条件的加入这战线。”（《答徐懋庸并关于抗日统一战线问题》）“我们抗日人民统一战线是比法国的人民阵线还要广泛得多的……”，“抗日问题上的联合是无条件的，只要他不是汉奸，愿意或赞成抗日，……都无妨。”（同前）同时，他认为方块字的艰深，使全中国大多数人民永远和前进的文化隔离，使他们难以“理解自身所遭受的压榨，整个民族的危机”，**为了唤醒民众，为了推动民族解放斗争的主力军，他认为“新文字运动应当和当前的民族解放运动，配合起来同时进行”**（《几个重要问题》）。

鲁迅的一生是为了民族解放，鲁迅的提倡新文艺是为了民族解放！“他是经历了辛亥革命以前直到现在四分之一世纪（以上）的战斗，从痛苦的经验和深刻的观察之中，带着宝贵的革命传统到新的阵营里来的。”（何凝）几十年来的民族革命解放的斗争中，“有的高升，有的退隐，有的前进，……同一战阵中的伙伴还是会这么变化……”（《自选集·自序》）鲁迅却永远前进，永远站在前哨，越战越坚的指导着我们——特别是我们青年。

我们永远敬仰他的伟大的人格！在战斗中锻炼出伟大的人格来！

我们永远不忘他的战斗的精神！在战斗中锻炼成坚决持久的战士来！

我们坚决拥护他的救国的主张！在战斗中使它全部实现！

作者因为时间匆促，没有能够有更深刻的研究，只算得鲁迅研究的一个草率的开始。同时，对鲁迅在近十年来对民族解放运动的观察和意见，也没有能更周详的在本文里发挥，更是憾事。

鲁迅与中国的新文学运动

梅　雨

鲁迅的一生（一八八〇——一九三六年）是在中国历史的一个最严重的，最复杂的时期渡过的。在鸦片战争（一八四〇——一八四二年）之后，“顽固的中国正在经历一种社会的危机。……这国家已经站在灭亡的前面，有发生一种暴力革命的趋势”（卡尔）。这预言立即为太平天国运动（一八五〇——一八六五年）所证实。在鲁迅出生的十五年前，这革命的太平天国运动正被无耻的“中兴名将”所剿灭，而满洲朝廷也日比日地溃烂下去。此后，许多新的革命自救运动接连地爆发起来：像戊戌政变运动，辛亥革命运动等等。这些都是中国民族自我觉醒的表现。鲁迅就是在这极端严重，极端复杂的时期里出生，成长，以至于死亡的。

在这样的时期里，再配合着他个人那样的生活环境里，战士的鲁迅的性格之被形成，是很自然的了。人们大概不会忘记鲁迅在《呐喊》的自序里告诉我们的那段弃医从文的插曲吧？当时，他以为救国的第一要着，“是在改变他们的精神”，而善于改善精神的要推文艺，所以他就决心提倡文艺运动。他那光辉的文艺生涯就是从此时期（日本留学时期）开始的。从这一点，我们便可以看出他献身于中国文艺运动时，是持着多么严肃的态度，而这态度直到他临死之前，还是毫无改变。他是在一九一八年出现于中国新文坛的，这之后的短短的十八年，更是中国历史上一个最最严重与复杂的时期。这中间，中国历史（就是世界的历史也是一样）充满了一列重大的事变：刚刚过去的一九一一年的辛亥革命，一九一九年的五四运动，一九二五——一九二七年的大革命，它的被镇压，崛起及其建立，“九·一八”——“一·二八”的事变及以后的抗敌统一战线的展开等等。这是一个革命，战争和干涉交错着的时代。所有这些，全都清切地反映在中国的文学前线上。所有这些，也给鲁迅的文学活动以无限的影响，也全都反映在他的作品里。无疑的，我们是可以从他的作品中，他个人的文学活动中看出当代的中国历史来的。

在鲁迅翻译的《死魂灵》的序言中，内斯妥尔·珂德略来夫斯基对《死魂灵》及其作者果戈里曾下如下的评语：

> 果戈里的长篇小说《死魂灵》，在十九世纪的俄国文学史上，是占着极特殊的地位的。这是有艺术价值的第一部长篇小说，其中呈现着出于伟大的艺术家和写实主义者的画笔的，俄国社会的生活的巨大而真实的画像。在这小说里，俄国的诗人这才竭力将对于旧习惯的他个人的同情和反感，他的教化的道德的观察，编入他的小说和故事里面去，而又只抱定一个希望：说出他所生活着的时代的黑暗方面的真实来。
>
> 由这意义说，《死魂灵》之在俄国文学史上，是成了开辟一个新时代的纪念碑的。

这些话，我觉得大体上是可以移赠给鲁迅及其《呐喊》的。

一九一八年五月，中国新文学史上第一篇短篇小说《狂人日记》在《新青年》上出现了。在当时，即使是在主倡“文学革命”的《新青年》（它在一九一五年九月在上海创刊）上，也只是登载用文言写作苏曼殊的创作小说，和陈嘏刘半农的翻译小说。“文学革命”只是空谈，还未加以实践。等到《狂人日记》出现了，这才显示了“文学革命”的实绩。由于它表现的深切和格式的特别，它大大地激动了青年读者的心。这是鲁迅伟大的十八年来的文艺活动的开始。从此之后，中国文学划出了一个新的时代，中国的新文学才成为一种壮大的，为社会斗争服务的力量。在他的不断的孵育之下，中国的新文学渐趋长成，许多新的作家也陆续出现了。他在文艺上的影响是无限大的。在我们的文艺史上鲁迅是一个永远不朽的名字。

鲁迅与革命相遇时，革命已不是一个孩子，但他与新文学相遇时，它还不配称为胎儿。梁启超，苏曼殊辈的文言作品，与《水浒传》等封建性的小说虽微有不同，但文学依然摆脱不了旧传统的影响。鲁迅出现之前，当时文坛是一片精赤的地土，但他却带着旧世界给他的优秀的遗产，走上文坛来。我们不能不承认中国的旧文学，北欧，旧俄以及日本（这是他的新文学修养总汇之地）的文学对他的天才的发展予以有力的影响，但他并不是仅作徒然的模仿，《狂人日记》虽保有着果戈里式的忧愤，《药》的收束也分明的留着安特莱夫式的阴冷，但鲁迅的《狂人日记》却意在暴露家族制度和礼教的弊害，较果戈里的忧愤来得深广，是很显明的。总之，他是从民族生活的土壤中独立地而又直接地生长出来的。《呐喊》是中国新文学运动的起点，也是中国新文学的最重要的和基本的础石。

当时，在中国的文化领域上正在做着白话与文言的斗争，后来更扩大为反封建的与反礼教的斗争；因为封建的意识，已经成为中国市民阶层的发展的障碍。但中国市民阶层本身是矛盾的，在文学上便表现为一种介于自然主义与浪漫主义间的动摇，像胡适之的一面主张客观地分析社会现象，一面又高唱“我口写我心”。但鲁迅当时所发表的各作品（后来收在《呐喊》和《彷徨》

二集里面），却是稀见的，以人道主义的现实主义的手法完成的，富有战斗性的作品。这些作品在反封建制度，反旧礼教的斗争里，尽了一种历史的任务，而在这种斗争的更深的发展中，更有无限的影响。他这种反封建，反礼教的斗争，就是稍后在《莽原》，《奔流》上也还继续执行着。这些作品是中国新文学运动上一面屹立的，划时代的丰碑。就是到了现在，它还是没有失去其革命的意义。

当时未成熟的市民文学，全缺乏乐观的与勇敢的气氛，他们的作家们正以自以为苦的忧郁，传染给正在做着好梦的青年。但鲁迅却反对这种消极。他在《药》的瑜儿坟上平空添了一个花环，在《明天》里也不叙单四嫂子竟然没有做到看见儿子的梦。虽然，鲁迅的积极是有限度的，他的作品里还多少地沾染了北欧与日俄文学特有的抑郁，这是在新时代行将到来之前感到窒息和苦闷的知识分子所难免的。鲁迅的反对封建制度，旧礼教，以及民众的一切的敌人，并非凭借在现在看来是科学的世界观，那时候，他正受着达尔文主义的影响，他当时还没有看清那人类解除一切压迫，解放一切苦痛所应走的大道。直到一九三〇年初的时候，他还是如此的。但这并不与后来他的也是大众的路线相违反，这是世界上一切有正义感的知识分子所共有的最宝贵的传统。在这一点上，鲁迅给予中国新文学的影响也是巨大的。他以及他的作品是以彗星一样的光芒，冲过市民阶层的抑郁，动摇和颓废的氛围，给未来的新兴文学扫开一条干净的去路的。

在鲁迅未被左翼团体所拥有之前，他曾经同当时的“创造社”——其实不如说是与当时文坛上的少壮的急进的分子和集团——发生过一次论争。直到现在为止，我们文坛上对这次的论争还没有公正的评判，但如果因鲁迅后来的“转向”而过分责备当时“创造社”的举动，我以为是不公允的。诚然，鲁迅在北平时曾在他主编的丛刊中出版过苏联B. 拉甫涅列夫的《第四十一》，A. 勃洛克的《十二个》，和L. 托洛斯基的《文学与革命》等，对新俄的文学尽了介绍的任务，也就是说他已对新俄的文学表示了尊贵的热爱。画室在《革命与智识阶级》一文中虽说：“鲁迅看见革命是比一般的智识阶级早一二年”，但他在同文里也接着说：“不过他也常以‘不胜辽远’似的眼光对无产阶级的……” Siao Emi在另一篇文章里也曾有类似的意见：“他曾经有过一个长期怀疑有在中国创设一种普洛文学的必要，在整个一九二五——一九二七年的大革命，他总是与革命运动远离的。”在这种情形下，当时进步的分子为着希望地更前进，为着争取这最伟大的最有权威的作家到自己的文学阵营里来，自然要对他加以批判。在钱杏邨等的论文里，我们可以清楚地看出这一点。所以这一争论的形成，与其说是“创造社”等对鲁迅的人身攻击，毋如说是当时左翼团体在策略的应用上的恶劣：譬如理论的幼稚与态度的欠当，都使他们的企图在形式上化成为一种意气之争。

但鲁迅的路在中国新文学的大道以外是没有的。他不过一时保持缄默而已。世界改变了，在这世界里面的富有正义感的他也不能不改变了。于是他用着矫健的步伐前进。但他已不是同一的人，走的也不是同一的路，他已走上光明的坦途了。一九三〇年初，他就完全“转向”（其实他从来就没有走错路）一个前进的文学营垒来，而成为一个至死枪不离手的战士。这是左翼最大的胜利。中国的新兴文学，在拥有了鲁迅这优秀的指导者之后，马上统治了整个的文坛。中国新兴文学的建立及其发展，鲁迅有着最光荣的永不能磨灭的伟绩。

在这时期里，他写了许多的“杂感”。敌人的迫害与战斗的紧张，使他不及把自己的思想，情感和见解融化为艺术的形象，用小说戏剧的体裁表现出来。他只能采用了这一种最适于战斗，最便于吐露自己的愤怒憎恶或是赞美的艺术形式——杂感。鲁迅是一个非凡的文体家，这匕首一样的文章，不惟在历史的战斗上发挥巨大的作用，而且给中国的文学添了一种崭新的样式。现在有许多散文家便是在鲁迅这种文体的孵养之下长大起来的。

在现代中国文学的发展的第二阶段，即一九二五——一九二七年大革命及其后的普洛文学，它的成立发展及其扩大这一时期，鲁迅也有着非凡的功绩。

对于“民族主义文学”，对于市民阶级的代言人“新月派”及梁实秋等，甚至对于三角恋爱色情小说的作者（如张资平等等），鲁迅都给予猛烈的攻击。他给读者大众指出这些发出恶臭的，沉沉浮浮的死尸，说明他们怎样为吸血者所利用，使之用一切手段来压迫或欺骗，或麻醉大众以苟延残喘。由于《“民族主义文学”的任务和运命》一文，鲁迅历史的地判决了“民族主义文学”的死刑。

另一方面，对于本阵营内的战友，鲁迅也给予宝贵的忠告。他时常凭借他个人的丰富的经验，深刻的观察，和过人的学问揭出当时的集团的缺点，指出战斗的路径，批判了浪漫蒂克的革命家的或“沙笼”的社会主义者等的不良的倾向。一九三〇年三月二日在上海的演讲，在中国新文学的历史上有着重要的意义，他当时的指示，就是在现在看来，也还是没有失去时效的。

在当时，已有不少人想以科学的文艺理论来作为批评的武器了，但理论素养的贫乏使这些理论家患了过左的幼稚病。而文学青年们更很难从中文书籍里获得这一类的知识。科学文艺理论的移植成为一种极其迫切的要求。鲁迅在这时候便负起了这个任务来。普列哈纳夫，卢那卡尔斯基，梅林格等以及日本的藏原惟人等的新兴文学理论便接续地被介绍过来。他的翻译的方法曾被许多人所非难，也有一些人说他从事这种工作是一种投机，但诸如此类的责难，实际上并没有什么影响。这些名著还是一本又一本地印出来，传开去，使正确的文学理论教育了无数的文学青年。现在一般的文艺理论修养的水准如果较一九三〇年前后大大地被提高了的话，那就不能不归功于鲁迅的倡导了。

另一方面，单只翻译理论的作品，还是不够的。中国文学遗留给我们的遗产太少了。为着使文学青年们能够亲近国外，尤其是革命后的苏联的文学作品，再从那些伟大的作品里得着教育与启发，那么，国外作品的介绍也是迫不容缓的。鲁迅在这方面尽了他最可宝贵的努力。在他直接的工作——翻译，间接的工作——编纂之下，给青年们献上了许多新俄的作品。本来翻译世界新兴文学的名著，并且有系统地介绍给中国读者（尤其是苏联的名著，因为它们能够于伟大的十月，国内战争，五年计划的"英雄"，经过具体的形象，经过艺术的照耀，而供献给读者），这是中国进步的文学家们的重要任务之一。而做这工作的，除开鲁迅与曹靖华而外，就很少了。《溃灭》，《铁流》，《十月》等名著的出版，是新兴文学历史上一件很光荣的业绩（在这之前，鲁迅也曾介绍过好些新俄的理论与作品）。

鲁迅的翻译工作是直到他安息之日才停止的。就是最近几年，他也介绍了许多优秀的古典作品，《死魂灵》便是一例。在他的发轫及指导之下，第一个专刊优秀论文与作品的刊物——《译文》出现了。近代中国新兴文学的成长，得之外国文学的营养也许较之本国的多得多，在这方面，我们永远怀念着鲁迅的不朽的功绩。由他的播种，使新的文学在理论的栽培上和创作的扶养上获得了巩固的基础。未来的中国新文学是大大地借重着这些宝贵的遗产的。鲁迅是最富于时代感的，他永远站在现实的前头，永远不忘记为新社会而战斗，这些可以由他主编的许多刊物看出来。从他参与的《新青年》，到自己主编的《语丝》,《莽原》,《奔流》,《萌芽》……等，没有一个刊物是流俗的，落后的，在文化阵线的斗争上，全都发挥了巨大的作用。只要我们考察每个刊物所固有的特点之后，我们便可以了然的。而在这些紧张的工作之余，他还陆续写了无数的富有战斗性的杂感。当“第三种人”要求“自由”的时候，鲁迅同其他的理论家们马上挣住这决定的时机，加以正确的清算，就是“揭起小资产阶级文学之旗”的人们，也在鲁迅的笔下现形了。

新兴文学因这几次有历史意义的斗争的胜利，更加博得文学青年的拥护。在这时期内，鲁迅的杂感，不只在文学上，就是在政治上都应该赢得很高的评价的。在“自由谈”时期，鲁迅这一类的文章曾使统治者手忙足乱，穷于应付。不管身体的衰弱，环境的恶劣和社会活动的繁复，他的著作，在数量上，在质地上，终是最多产而又最精致的一位。

我们的文坛有了鲁迅，不只多了一个天才的且又是不倦的工作者，又有了一个精神的典范。在不断的迫害与憎恨之下，鲁迅屹立着，黑暗的风暴不能摇撼他，反而使他更加勇猛，更加坚定起来。围拢在他周围的青年作家们，失踪者失踪，惨死者惨死，他自己也被迫赶到“地下”去，但他的文章却越发呈现出斗争的锋芒。中国的青年文学大众，有了鲁迅，在精神上便得到一种鼓励，一种确信。他不惟以他的作品，且以他的精神来推动新文学运动，来打击反动的敌人的。

稍后，在语言问题上他也建树了很大的功绩，《门外文谈》同别的同类的杂文有着不小的影响。他对于拉丁化新文字的主倡，使这种语言的革命更顺利地进行。

总之，他的工作是多方面的。为着推进整个新文学运动，和新文化运动，他已尽其所有的力量了。

当“九·一八事变”发生之后，我们的民族遭逢了历史上空前的残害。民族的危亡已到了千钧一发的时期。由于这种客观形势的转移，整个民族革命解放运动，也被推进一个更高的阶段，在文学的领域里，也没有例外。过去新文学运动用血肉建立起来的那个光辉的“本体”成为历史上的名词了。为着适应统一战线的要求，文坛上有了“国防文学”这口号，也发生了一次巨大的论争。在这里，我们也可以看出鲁迅的光辉的一面，他从来就是站在时代的前头的。

由于一部分论争者对于统一战线的理解的不够，两口号的论争大体转成为各自想取消对方，而不是批判对方的口号的趋向。虽然这里不能不归咎于受鲁迅之托而提出“民族革命战争的大众文学”这口号来的人，他的含糊其辞，及其想借这来代替另一口号的企图，成为这论争的起因。但鲁迅的本意原来只是以这来作为左翼作家的口号而已，他本人并没有反对国防文学。“但民族革命战争的大众文学，正如无产革命文学一样，大概是一个总的口号吧。在总的口号之下，再提些随时应变的具体的口号，例如‘国防文学’，‘救亡文学’，‘抗日文艺’……等等，我以为是无碍的。不但没有碍，并且是有益的需要的。”在另一篇文章里，他认为两口号之争，不应该变成为“争正统”之争，互相“剿灭”之争，这态度是与统一战线的原则十分吻合的。

正如鲁迅在一九三〇年以前，对于“创造社”，“太阳社”等提出的“无产阶级文学”这口号所采取的态度，即在原则上他并没有反对那个口号，而是反对提出这口号的人，到了适当的时机，他便马上成为那个口号的主倡者，而且是最积极的一员一样，在最近的论争中，他的态度也是相同的。可惜在问题还未十分明朗化之前，他便溘然逝世了。这是中国文坛最大的遗憾，也许也是他本身最大的遗憾吧?

鲁迅十几年来的文学活动，从未忘记过对文学青年们的提携。任何一个青年如果有求于他，他没有不给予帮助的。有无数的新作家由他的教育而长大起来，有无数的青年作家由他的指引而走上了文学的大路。他是一个最出色也是最得青年信仰的批评家，许多无名作家的良好的作品，由他的批评，而得到正确的评价，由他的推荐而得到广大的读者。只这几点，他对于中国文学运动的贡献也够巨大了。我相信，他的信札和记事簿，有一天会成为我们这时代的，这文坛的镜子，从那里，我们一定可以得到无数的教益，无数的启示。我希望能享有得到这教益与启示的寿命。

中国的新文学运动，有了鲁迅，便得到了一个最有力的推动者。鲁迅是中国文坛最光荣的代表。比照着那些抛开青年们而开始反叛，爬上死尸，以年青的一代为脚垫而得了稳固的地位的人们，鲁迅的伟大是不能揣想的。自从新兴文学被倡导以来，多少人投降？多少人叛变？多少人销声匿迹？而鲁迅呢，他始终举起正义的旗帜，不断地作着决死的斗争，至死未曾退出自己十几年坚苦守住的阵地，他的伟大岂是文字可以形容的。

中国的建立新文学的斗争，犹如建立一个新的制度一样，是需要决心与血肉的。鲁迅的坚苦的奋斗，便是中国新兴文学的象征。也是后死的文学青年们的表率。我们的时代是用鲁迅这苦难的生涯向后代叙说今日这神圣的战斗的伟大同艰苦的。

鲁迅与新文字运动

胡　绳

一

在上海，鲁迅先生丧仪的行列中，有几块白布的横幅很受人注意，那是用北方话新文字，厦门话新文字，江南话新文字写的，不但在上海，在北平的鲁迅先生追悼会里，壁上也用新文字大书着："纪念鲁迅先生不要忘记他的遗言：汉字不灭，中国必亡。"甚至暹罗出的暹京《华侨日报》（十一月九日）中记载当地华侨文化界发起的"追悼鲁迅大会"的新闻中也说："礼堂前之左右两墙壁则挂有各界挽联数十对，中有以新文字书写者为场中之特品。……"

这个事实决不是偶然的。鲁迅先生在生前的确是以巨大的热情支持了新文字运动，而且用有力的言论说服了怀疑和反对新文字的人，巩固了新文字的理论的基础的。

鲁迅先生是“封建社会的逆子，是绅士阶级的贰臣”（何凝语），所以他反对传统的旧礼教，反对读古书，因而也反对文言文，反对方块头汉字，也反对脱离了大众生活的各种绅士学者的空想的语文改革方案；鲁迅先生是文化战线上的最前卫的战士，所以他支持各种新文化运动，创导新兴的木刻运动，他对于新文字运动的支持也是出发于他的一贯的思想和行为，是丝毫不足为奇的。

二

鲁迅先生在一九一八年驳斥那些以为“白话鄙俚浅陋，不值识者一哂之者也”的“高雅的人”的时候，这样地说：“做了人类想成仙，生在地上要上天；明明是现代人，吸着现在的空气，却偏要勒派朽腐的名教，僵死的语言，侮蔑尽现在，这都是‘现在的屠杀者’。杀了‘现在’，也便杀了‘将来’。——将来是子孙的时代。”（《热风·随感录五十七》）鲁迅先生正是一个紧抓住“现在”，尊重“将来”的“子孙的时代”的人；对于“僵死的语言”，他是一个毫不容情的战斗者。

在五四时代提倡白话文的先生们到稍后一时期却和文言文妥协了，弄得白话文和大众口语间的距离一天天地加长，甚至有人说，“要做好白话，须做好古文”，这时鲁迅先生始终坚持着主张：“以文字论，就不必更在旧书里讨生活，却将活人的唇舌作为源泉，使文章更加接近口语，更加有生气。”并且说：“我以为我倘十分努力，大概也还能够博采口语，来改革我的文章，但因为懒而且忙，至今没有做。我常疑心这和读了些古书很有些关系……”（《坟·写在〈坟〉后面》）鲁迅先生拥护白话文决不是把它看成漂亮的绅士语，而是认为它应该和大众的“口语”，“活人的唇舌”一致的。——所以他虽是从文言文的“旧垒”中出来，却成了文言文的最不屈服的敌人，正如他从封建社会中出来，却成了传统的丑恶的暴露者一样。这正如他自己所说的：“又因为从旧垒中出来，情形看得较为分明，反戈一击，易致强

敌的死命。”(同前)

正因为他始终主张文章应该“接近口语”，反对过去的“僵死的语言”，他从反对文言文而再进一步地彻底反对汉字，也是非常自然的事。于是“反戈一击”，便致了汉字的“死命”。

在一九二六年鲁迅先生说过这样的话：“古文已经死掉了；白话文还是改革道上的桥梁，因为人类还在进化。”(《华盖续集 · 古书与白话》) 鲁迅先生是个彻底的现实主义者，所以他能够在动的观点上观察一切事物，决不做现状的保持者。他虽然是白话文的战士，但决不死抱住它不放，却把它看作是语文发展到更高一阶段去的过渡的“桥梁”——在白话文的发展途上，他已预见了它的衰亡了。对于汉字，他也抱着同样的态度，汉字的没落的命运也早在他的洞见中了：他说“方块字本身就是一个死症”(《从“别字”说开去》)。

鲁迅先生在一九三四年以后发表不少文章，对于方块字做了致命的攻击。这里要详细地介绍他的意见是篇幅所不容许的，只能极简单地做一点征引和说明。

在《门外文谈》里，鲁迅先生从汉字的发展历史上证明了汉字的必然的没落，他说："古人传文字给我们，原是一份重大的遗产，应该感谢的。但在成了不象形的象形字，不十分谐声的谐声字的现在，这感谢却只好踌躇一下了。"（《门外文谈》第四段）

再进一步，鲁迅先生就说明了"汉字和大众势不两立"（《论大众语》）的缘故。"方块汉字真是愚民政策的有力工具，不单劳苦大众，没有学习和学会的可能，就是有钱有势的特权阶级，化费一二十年的功夫，终究不能学会的也多得很。"鲁迅先生的目光永远看住在"劳苦大众"的身上，所以主张"将文字交给一切人"（《门外文谈》第七节），方块汉字，因为它的难，已经远远地和大众隔离了，鲁迅先生不能不大声疾呼地说："为了这方块的带病的遗产，我们的最大多数人已经做了几千年的文盲来殉难了……如果大家还要活下去，我想是只好请汉字来做我们的牺牲了。"（《花边文学·汉字和拉丁化》）

鲁迅先生在一九二六年说："去年我主张青年少读，或者简直不读中国书，乃是用许多苦痛换来的真话，决不是聊且快意，或什么玩笑偏激之辞。"（《写在〈坟〉

后面》）先生的反对汉字的主张同样也是“用许多苦痛换来的真话”，难道我们可以把“汉字不灭，中国必亡”的呼声看作只是一种“玩笑偏激之辞”么？——“我是自身受汉字苦痛很深的一个人，因此我坚决主张以新文字来替代这种障碍大众进步的汉字。”这是鲁迅先生向访问他的人亲口说的话。

三

鲁迅先生是维持现状论和温情主义的改良论的永远的敌人，他说：“从古迄今，什么都在改变，但必须在不声不响中；倘一道破，就一定有窒碍，维持现状说来了，复古说也来了。”（《从“别字”说开去》）然而鲁迅先生不怕正人君子的反对，偏要一口“道破”。他看见了汉字的没落，便坚决地主张彻底改革。

他反对“说大众只要教给千字课的人”（《门外文谈》），他也反对那种“虚悬”了一个语文改革的“计划”，故意把计划弄得“完全和周密，藉此来阻碍易举者的进行”的一些学者们（刊于《每周文学》上的《论新文字》）。

他看准了真正的站在大众立场上的切于实用的语文改革的方案只有拉丁化的新文字。

鲁迅先生告诉我们:“几个读书人在书房里商量出来的方案”“大抵行不通”(《门外文谈》),“先前也曾有过学者,想出拼音字母来,但是那些字都还麻烦,因为学者总忘不了官话四声,并且这是学者创造出来的字,必须有学者的气概”,所以那都是“不合乎实用,也没有前途的文字”(《关于新文字》)。

现在有许多人常常以为,在语文改革运动中也有门户之见,譬如新文字运动者总是显得和国语罗马字势不两立。但实际上并不如此,在反汉字这一点上,新文字和国语罗马字,甚至和注音字母原是站在一条战线上的,前者和后者的差别主要还是在于若干技术问题上,譬如鲁迅先生所指出的“官话,四声”的应用与否的问题。而技术问题却是在大众的实践中很容易解决的,何者较合乎实用,何者有前途是很明白的事实,本无所谓门户之见。鲁迅先生站在反传统的立场上,对于注音字母和国罗,过去都曾有过好意,但是他一发现拉丁化新文字是更“合乎适用”的,便马上做了它的提倡者了。

他说："新文字却没有这空谈的弊病，说得出，就写得来，它和民众是有联系的，不是研究室或书斋里的清玩，是街头巷尾的东西；它和旧文字的关系轻，但和人民的联系密，倘要大家都能发表自己的意见，收获切要的知识，除它以外，确没有更简易的文字了。"（《论新文字》）

鲁迅先生是完全站在民众的利益的立场上来倡导新文字的——还有谁能够比站在民众立场上的人更雄辩的呢？

四

鲁迅先生又具体地对新文字做了各方面的指示。

首先是关于方言问题。既然文字应该和口语一致，而现在中国大众的口语还是分歧的方言土话，那么新文字的第一步不能不是记录方言土话。但是有人说，本来汉字是统一全国的，现在岂不是反而牺牲了统一么？鲁迅先生回答："现在的中国还不是一种语言所能统一的，所以必须按着各地方的言语来拼，等到将来再设法统一。反对拉丁化文字的人，往往把这个当作一个缺点，以为反而使中国的文学不统一了，但是他却抹煞了方块汉字本来是多数中国人所不认识，有些知识分子也有并不真正认识的事实。”（《关于新文字》）而且“当未用拉丁化写法之前，我们不识字的人们，原没有用汉字互通声气，所以新添的坏处是一点也没有的。倒有新的益处，至少是在同一语言区域里，可以彼此互换意见，吸收智识了”（《门外文谈》）。明白了这两点，许多怀疑论都可以一扫而光了。

可是又有人说：文字不能不精密，我们的口头语是不是够做文语来表达一切思想呢？但是我们应该知道，言语是发展的，在把方言记录到纸头上去时，原可加以人为的改革，使它更丰富化，精密化的。鲁迅先生一向主张灌输欧化的语法表现法到中国语中，这和他的新文字应该记录方言的主张是一点也不矛盾的。鲁迅先生在很早就感到：“对于现在人民的语言的穷乏欠缺如何救济，使他丰富起来，那也是一个很大的问题。”（《写在〈坟〉后面》）而救济人民的语言的穷乏欠缺却只有在采用了新文字后才办得到，因为文言文和白话文是根本把方言土话搁置在一边的。在大众语讨论中鲁迅先生指出，在“在乡僻启蒙的大众语，固然应该纯用方言，但一面仍然要改进”(《论大众语》)。那便是指引进“新字眼，新语法”，并且使大众口语有更“精确的意义”。——新文字保证了实现这种改进的可能性。

方言的发展不但是在词汇的丰富和语法的精密这一方面，还有一方面，便是从分歧的方言土语发展向统一语去。新文字虽然在现在是采用分区发展五——七种的新文字方案的办法，但它绝对不反对——恰恰相反，倒是要意识地去促进——各区方言的融合为一更高阶段的统一语。这一点，鲁迅先生也见到的，他说:“我想，启蒙时候用方言，但一面又要渐渐的加入普通的语法和词汇去。先前固有的是一地方的语文的大众化，加入新的去，是全国的语文的大众化。”(《门外文谈》)他一方面反对“几个读书人在书房里商量出来”一种统一语的方案，但一方面也反对“一切都听其自然”，那便是说，统一语的形成也得加以人为的促进，所以他说:“待到一种出于自然，又加人工的话一普遍，我们的大众语文就算大致统一了。”(同前)

鲁迅先生的这些指示是新文字运动的指标；我们从

鲁迅先生后发表的这些零碎的意见中，已经看到了新文字的理论的全部轮廓了。

五

新文字运动要由谁来做呢？当然“还是从读书人首先试验起，先介绍过字母拼法，然后写文章”（《花边文学·汉字和拉丁化》）。但鲁迅先生又警告说：“由历史所指示，凡有改革，最初总是觉悟的智识者的任务。但这些智识者却必须有研究，能思索，有决断，而且有毅力。他不看轻自己，以为是大家的戏子，不看轻别人，当作自己的喽啰。他只是大众中的一个人，我想，这才可以做大众的事业。”（《门外文谈》）所以他警告我们“大众并不如读书人所想象的愚蠢”——新文字运动还是要在大众的实践中间推进的！

“我想，新文字运动应当和当前的民族解放运动配分起来同时进行，而推行新文字，也该是每一个前进文化人应当肩负起来的任务。”一切前进的文化人——教育家、文学家、语言学家都在鲁迅先生的遗言的指导下面起来从事于这光荣的语文改革的事业吧！

——倘要中国的文化一同向上，就必须提倡大众语、大众文，而且书法更必须拉丁化。（《门外文谈》）

一九三六，十一，廿五深夜

鲁迅先生和中国新兴的木刻

曹　白

一

一九二八年的冬天，是“朝华社”成立的时候。这“朝华社”是鲁迅先生和柔石等等几个坚决的前进的文艺青年所组织的。但他们并没有什么浩浩荡荡的企图，只想切实地“介绍东欧和北欧的文学，输入外国的版画”——“来扶植一点刚健质朴的文艺”。

但我想，除“刚健质朴”，针砭当时卑怯的空虚的文艺之外，为了读者，当另有缘由吧？东欧和北欧的文学作品，大抵是鲁迅先生一向所谓热切的、叫喊的、愤疾的、反抗的，它们能指示被压迫者的前路，能被“被侮辱的和被损害的”人们深深地感动和领会。因为我们和他们，有相同的运命和企求的将来。至于后者，则鲁迅先生在《新俄画选》的《小引》里，明白地说道：

> 多取版画，也另有一些原因：中国制版之术，至今未精，与其变相，不如且缓，一也；当革命时，版画之用最广，虽极匆忙，顷刻能办，二也。

读过了《朝花夕拾》里的《阿长与山海经》，《从百草园到三味书屋》等等的文章之后，就晓得，鲁迅先生从小就酷爱图画的。但他的酷爱的图画的对象，跟着他的年纪，跟着他的见解和思想的脚，而逐渐地变更了：他从先前的小说传奇上的绣像起，而最后是热衷了欧美的作为书籍插图的版画。

而且他还想把它介绍到中国来——这是他一贯的启蒙主义的实践。——在他编辑《奔流》的时候，便常常选些西欧的版画，作为《奔流》的插图了。中国的杂志而用西欧版画作插图，怕是始于《奔流》的？

并且，鲁迅先生在最近的十多年中，他更努力于版画的收集。就像“朝华社”成立的那时，他已把中国的“画笺”（木刻的），寄给外国的版画家，和他们去交换作品了。而“朝华社”里所出的版画的集子，大抵是出于鲁迅先生的筹划和经营的。

然而这“朝华社”，只印了《朝花周刊》二十期，《旬刊》十二期,《近代世界短篇小说集》及《艺苑朝华》五辑之后，它就倒闭了。那倒闭的原因，据《为了忘却的纪念》里说，是“柔石的理想的头，先碰了一个大钉子，力气固然白化，此外还得去借一百块钱来付纸账”，这团体便在别人的冷漠里边结束了。但是，我不晓得，“朝华社”印行的那前三种，给予后世是怎样的影响，而《艺苑朝华》的影响是大的！

《艺苑朝华》一共有五辑，那名目是：

第一辑《近代木刻选集》（1）

第二辑《蕗谷虹儿画选》

第三辑《近代木刻选集》（2）

第四辑《比亚兹莱画选》

第五辑《新俄画选》

在这些画册的每一辑里，都有鲁迅先生做的精湛的

《小引》。但其中的《蕗谷虹儿画选》，却是为了“扫荡上海滩上的‘艺术家’，即戳穿叶灵凤这纸老虎而印的”；自然这也是给读者的一面小小的镜子。而且我想，《比亚兹莱画集》的印行，恐怕也还是给做这种镜子的缘故。

第一、第三两辑，都是近代创作木刻集；就是最后一辑的《新俄画选》里，在全书十二幅画中，木刻倒占去了五幅。前者是出于英、法、美、意、德、瑞典、日本诸木刻艺术家的手笔，后者自然都是“新俄”的了。但总之，在这五辑画集中，有两集半是近代创作木刻画。这些，借着“朝华社”鲁迅先生的手，搀到我们这中国的为妖魔所坐镇的艺坛的边头了。

二

于是乎，我们只才晓得，人家已经把我们“古已有之”的东西，给它现代的生命，作为新艺术品而出现于世界的艺苑了。要是没有“朝华社”鲁迅先生的介绍，到现在，中国能不能发生木刻运动？能有多少人了解木刻？这都是很成问题的。为什么呢？因为我们的鼓噪的“大师”

（?），高傲的娇贵的艺术家，他们的趣味完全逗在“罗马夕照”“西湖晚凉”里：他们或则拾了“学院”（Academie）的唾沫当金液，或则钻向印象主义（Impressionnisme）的牛角尖，或则在温暖的Salon里期待着“神来”的时候，那是无暇，也不屑来理会这种“雕虫小技”的。

因此，《艺苑朝华》刊行后，鲁迅先生的要感叹“竟为艺苑所弃”，也是无足怪的了：谁叫他们干这宗傻事的呢？

但总算还好，那些被介绍过来的木刻，首先被“一八艺社”所接受。

要说出这“一八艺社”的创立的日子，那该是一九二九年——亦即民国十八年，故名——的一月十二日。这一天，也就是中国新兴木刻的诞生的日子，是值得我们纪念的日子。

但“一八艺社”却并不是一个专攻木刻的团体，绘画、工艺美术、雕刻都有，并且他们还从事于新兴艺术的理论的检讨，木刻只有其中的社员：一川和点非等几个，作着一种尝试而已。作品，那自然是很幼稚的。这“一八艺社”曾被鲁迅先生热烈地爱护过；他在该社的习作展览会的《小引》里说：

> 现在的艺术总要一面得到蔑视、冷遇、迫害，而一面得到同情、拥护、支持。
>
> 一八艺社也将逃不出这例子。因为它在这旧社会里，是新的，年青的，前进的。
>
> 中国近来其实也没有什么艺术家。号称“艺术家”者，他们的得名，与其说在艺术，倒是他们的履历和作品的题目——故意题得香艳、漂渺、古怪、雄深。连骗带吓，令人觉得似乎了不得。然而时代是在不息地进行，现在新的，没有名的作家的作品站在这里了，以清醒的意识和坚强的努力，在榛莽中露出了日见生长的健全的新芽。

那次展览会，得到鲁迅先生的极大的鼓励。于是别的社员也就动手刻木刻。可是不幸得很，“九·一八事变”发生，学生运动勃发，“一八艺社”受到了极度的摧残：许多人失踪了。前年夏天，在一个木刻展览会场上，忽然听到了一个确凿的消息，一川和他的爱人夏明，一同死在牢里了……

三

“朝华社”既然倒闭。和鲁迅先生一同“介绍东欧和北欧的文学，输入外国的版画”的柔石，又既然和其他几个坚决的前进的青年，在暗夜中绑赴刑场，“身中十弹”，死于屠伯们的惨杀里，而五辑《艺苑朝华》是在的。这就好！它们不但为“一八艺社”所接受，而且被许许多多的年青艺术学徒所接受。木刻的火种是没有因为被摧残而熄灭的！

然而中国又没有木刻的师资，又没有比《艺苑朝华》更好的画册（不，简直没有！）作为青年艺术学徒的参照。木刻只是在这些青年艺徒们的爱护的热烈中和支持中生存着。但这是非常危险的事：那将会有枯萎的一天。

鲁迅先生首先看到了这一点，但他不忍眼望着这自己一手栽培出来的木刻的嫩芽的枯萎。为了艺术学徒，没法，就只好影造西欧木刻名手的画册了。

但印这样的画册，是非精致不可的。——要精致到画幅里的极其微小的“刀法”，也得看得出，这才使“摸索中”的，“无师”的艺徒们，得到裨益。然而成本就要大，加上这种不是“繁销书”，书店老板那里肯印呢：印起来一定要赔钱啦！

没有办法，这回，鲁迅先生只得自己来印了。那第一本，就是一九三〇年影造的十幅——

《梅斐尔德（Meffert）木刻〈士敏土〉之图》。

因为要精致，这些图，是用珂罗版印的。珂罗版一版只能印三百部，而鲁迅先生取其精中之致，印了二百五十册，不知化去了他自己几多的心血和金钱。

可是“第三种人”上台了。他们把“连环图画”和“麦绥莱尔（Masereel）的木刻”加以一一的叫咬之后，施蛰存就出来说这《梅斐尔德木刻〈士敏土〉之图》是“罕见书”，那讥笑之态真可掬！但据说另外还有“一位青年在这‘罕见书’边说，写着只有二百五十部，是骗人的，一定印得很多，印多报少，不过想抬高那书价”，云云。

流光易逝，“第三种人”现在又不知变做“第 × 种人”

了！但鲁迅先生为了年青“无师”的艺术学徒，为了大众，他的影造这种“罕见书”，是并没有罢休的：因为他有的是坚决的信念——

> 我的印好书，是有**将来**的，别人不注意**将来**，所以就没有把现在的东西好好保存起来留给**将来**的人做粮食的心意。那里是为的满足我自己。（景宋:《断片的记述》）

不，那过去的“现在”，即六年前鲁迅先生把“士敏土插图”印成“罕见书”的那时的“现在”，使一般年青的艺术学徒们看见了梅斐尔德用了那样的豪放的刀触，在木板上犁出了这样狂热的图画，就感到一种欢喜，一种希望，而且由此也加强了自己们对于工作的信心。这对于中国初期木刻运动上是有很大的意义的。

四

一九三一年的夏天，内山完造先生的弟弟内山嘉吉先生，到上海来玩了。嘉吉先生是日本的雕刻家，但他没有进过美术学校，以自修而成名的。他也会木刻。到得上海，鲁迅觉得有了机会，可以趁此把木刻上的必需的知识，请嘉吉先生授给我们一向“无师”的野生的艺徒们。嘉吉先生也高兴的答应了。

于是，中国第一次的木刻讲习会，在鲁迅先生的主持下，开讲了。然而人很少，为了当局历来把新兴的木刻看作坦克车的缘故，一切都在默默中进行着。但是大家都很奋兴。

嘉吉先生不会中国语，鲁迅先生就当翻译。起先讲了许多木刻理论上的知识，学生们是没有问题的。待得接着实习了，大家动手刻了，于是疑问百出，要问先生。这时候，鲁迅先生又当了学生们的翻译。所以在那闷热的暑天中，往往弄得鲁迅先生浑身是汗；然而他不烦厌，不疲乏；他露着非常的愉快的神情。

这讲习会在极短促的一星期内，就结束了。在最后的一天，把十三个学生的习作，开了一个小小的展览会，算是大家在这一周中的努力的果实。

从此，木刻界只才得到了制作上的具体的一些宝贵的经验，是那木刻讲习会所赐予的。

那自然是鲁迅先生的赐予！其中也有内山嘉吉先生的。

此后，鲁迅先生又把他历年珍藏着的世界的版画，展览出来了，——他是不高兴把自己所宝贵的东西，秘藏着，像别人一样，作为传家之宝。他往往要把自己的快乐去分给大家，望大家也一同像他那样的快乐着。而一方面，自然也叫艺徒们看看世界名手们的壮大的相貌，不要满足在自己的渺小的影子里。——因为这是非常危险的缘故。

所以，艺徒们往往在生活的困苦的鞭笞下，在强暴们的百般摧毁中，往往舐干了自己的伤痕上的血污，又默默地伏在那里刻画了：

> 我们有鲁迅先生的激发和鼓励呢！怕什么呀！

五

在一九三四年的三月，鲁迅先生把他前三年中陆陆续续用白纸去换来的，一束奇美而坚实的花果——苏联的木刻，又自费出版了。就是那有名的——

《引玉集》。

这真是我们木刻界里的奇迹的发现。

他怎样会得到这束奇美的花果的？在他《引玉集》的《后记》里面，就有这样的几段：

> 一九三一年顷，正想校印《铁流》，偶然在《版画》（*Graphika*）这一种杂志上，看见载着毕司凯莱夫刻有这书中故事的图画，便写信托靖华兄去搜寻。费了许多周折，会着毕司凯莱夫，终于将木刻寄来了……靖华兄的来信说，这木刻版画的定价颇不小，然而无须付，苏联的木刻家多说印画莫妙于中国纸，只要寄些给他就好。……我于是买了许多中国的各种宣纸和日本的“西之内”和“鸟之子”，寄给靖华，托他转致，倘有余剩，便分送别的木刻家。这一举得了意外的收获，两卷木刻又寄来了，毕司凯莱夫十三幅，克拉甫兼珂一幅，法

复尔斯基六幅，保夫理诺夫一幅，冈察洛夫十六幅；……

当鲁迅先生得到——尤其是意外的得到这些木刻的时候，他该全心的被激动了吧？一定是的！他一定被快活所迷惘了。但他又觉到极度的不安：

但这些作品在我手头，又仿佛是一副重担。我常常想想这一种原版的木刻画，至有一百余幅之多，在中国恐怕只有我一个了，而但秘之箧中，岂不辜负了作者的好意？况且一部分已经散亡，一部分几遭兵火，而现在的人生，又无定到不及韮上露，万一相偕湮灭，在我，是觉得比失了生命还可惜的……我便决计选出六十幅来，复制成书，以传给青年艺术学徒和版画的爱好者。

他这才心地安宁下去了。由此，我们也看见世界上的新文化的建设者，虽然他们住在两样的国度里，而心是总在一块儿的！

《引玉集》的出版，尤其对于艺术学徒，好比是微猛的春雷的一击，都震惊了；那是愉快和制作欲念的激动，一方面也更坚决了自己的信念。于是各地纷纷成立了研究木刻的团体，卷起中国新兴木刻运动的甚大的浪潮。

最使人注意的，就是在《引玉集》出版后的第三个月里，广州“现代版画研究会”成立了。“现代版画研究会”纵然在木刻的认识上和制作的态度上，犯了错误，然而他们于木运的推进上，给予了很大的努力，是不可否认的。其次，在“现代版画研究会”成立之后的也是第三个月里，北平和天津，有了“平津木刻研究会”的组织。

“平津木刻研究会”一成立，他们首先就在一九三五年的元旦发动了一个全国木刻联合展览会。这展览会真是空前的盛举。先不先，他们分成四个部门成立了。

一、中国古代复制木刻画。

二、国内现代创作木刻画。

三、国外现代创作木刻画。

四、参考品部。（这一部把制作木刻的必需的道具，也都陈列了出来，使观众增加制作木刻过程上的了解，吸收了许多亲近木刻的艺徒们，这一点，发挥了展览会的最大的效力。）

这次展览会的规模之大，号召之广，对于木刻影响之深，是先前所没有过的。而且此后“平津木刻研究会”又携着这展览会的全部，到天津，济南，太原去举行。上海也来的，就是“一八艺社”社员，中国木刻的前驱一川死在牢里的这一年。

由于这流动展览会，不知加多了几多的艺徒！而且获得了社会上普遍的同情和爱好。新兴木刻运动这才更其的强壮了。

这是《引玉集》所培成的！

六

写到这里，使我又很苦痛的想起了他那一段话：

我好像一头牛，吃的是草，挤出的是牛奶，血。

对！全中国的新人，都是吸了鲁迅先生的乳汁和血液，而滋补，而长大的。其中尤以木刻青年艺术学徒为最多。在这些艺徒们的流血和枯萎之间，跌倒或是躺下了，但他们也往往抬起头，想仰仗着一点别人的卫护或营养，来延长那将要结束的短促的寿命。然而除了我们的鲁迅先生一人之外，就不再有别的人了。

鲁迅先生是给我们乳和血最多的人！

今年是他病得最厉害的一年。然而你看他，往往在极其困苦的病中，挣扎出来，用着他那病了的颤抖的手，写那热烈的战斗的“写在深夜里”。然而你看他，往往在极其困苦的病中，在计划着如何如何地印版画，挣扎出来，用着他那病了的颤抖的手，在一张一张地折叠着和他一样热烈而战斗的伟大的革命艺匠柯勒惠支（K. Kollwitz）的“版画选集”的页子……

不，他在折叠柯勒惠支的“版画选集”的页子之前，又在那里精印阿庚（A. Agin）的《死魂灵百图》了。《百图》一出版，我就去把它买了来，又是那么壮旺美丽的一册，拿在手中，心里觉得沉甸甸的，太使人心爱了。但他在《百图》的序上，说，他所以要翻印《百图》的理由，是“第一，是在献给中国研究文学，或爱好文学者……第二，则想献给插画家”，而“对于木刻家，却恐怕并无大益，因为这虽说是木刻，但画者一人，刻者又别一人，和现在的自画自刻，刻即是画的创作木刻，是已经大有差别了”。

当时看了这意思，我颇不以为然，就写信去反对，说这对于中国的木刻家，是有极大的裨益的。理由有三：一，中国现下的木刻者很少有基本工夫，看了《百图》的描绘、透视、色彩、布局等等手法上，有“大益”。二，看了其中人物的轮廓、姿态、个性、动作等等的表现上，也有“大益”。三呢，现在木刻界正盛行着一种懒病，看了《百图》在构图上的谨严和密致，统一性和明了性，可以使他们日渐惊惕起来，那就更有“大益”了。

没有几天，他的回信来了，那是五月四日的，对于我提出的几点，倒也并未加以驳斥，只是说：

《死魂灵百图》，你买的太性急了，还有

一种白纸的（按，我是买的黄纸的，是先出的普及本）印刷较好，正在装订，我要送你一本。至于其中的三张，原是密线，用橡皮版一做，就加粗，中国又无印刷好手，于是弄到这地步。至于刻法，现在却只能做做参考，学不来了。此书已卖去五百本，倘全数售出，收回本钱要印托尔斯泰的《安那·卡莱尼娜》的插图也说不定，不过那并非木刻。

你看，他还要印《安那·卡莱尼娜》哩！虽说是“并非木刻”吧，但这种事情，中国就只有他一个人做。七月里，他果然把一本“白纸”印刷的《百图》，送来了。并且在八月二日又寄了一封信给我，说道：

我并不是对您特别“馈赠”，凡是为中国大众工作的，倘我力所及，我总希望能够（并非为了个人）略有帮助。这是我常常自己印书的原因。因为书局印的，都偷工减料，不能作为学习的范本。最可恶的是一本《庶联的版画》，它把我的一篇文章，改换题目，作为序文，而内容和印刷之糟，是只能表示“我们这里竟有人将苏联的艺术，糟蹋到这么一个程度”。

病前开印《珂勒惠支版画选集》，到上月中旬才订成，自己一家人衬纸并检查缺页等，费力颇不少。但中国大约不大有人买，要买的无钱，有钱的不要。我愿意送您一本……（内附《士敏土插图》一本，是上海战前所印，现已绝版了），印得还好，刀法也还看得出，但要印到这样，成本必贵，使爱好者无力购买，这真是不能两全。

呵，好极！这回我可以看见鲁迅先生拿去纪念柔石登在《北斗》上《牺牲》的作者的更多的作品了！赶紧打开来看，一页一页的，是力、是爱、是愤怒、是斗争。其中还织有鲁迅先生病了的苍白的脸影。

柯勒惠支是这样的拿着她那魄力的刀，砍向这丑恶的人间了。这是伟大的巨制！然而是借着已经病了的鲁迅先生的手，我们才有福气看见的。并且在她的画的巨大里，是织着那样严密的刀触，那无异给予我们年青的艺徒们的重重地一击，使我们“惊起”。

七

关于我们的“惊起”，鲁迅先生在《苏联版画展览会记》[1]里就提到过：

> 我们的绘画，从宋以来就盛行“写意”，两点是眼，不知是长是圆，一画是鸟，不知是莺是燕，竞尚高简，变成空虚，这弊病还常见于现在的青年木刻作家的作品里，克拉甫兼珂（A. Kravchenko）新作的《尼泊尔建造》（*Dneprostroy*）是惊起这种懒惰的空想的警钟。

这一段话，我和朋友们说到木刻的时候，就要提起它，因为这是对于我们制作上的极其沉痛的针砭。犹如

[1] 原文如此，应为《记苏联版画展览会》，收录于《且介亭杂文末编》。——编者注

他在今年四月一日给我的信里，有这样的话：

> 中国的木刻家，最不擅长的是木刻人物，其病根就缺少在基本工夫。因为木刻究竟是绘画，所以先要学好素描；此外，远近法的紧要是不必说了，还有要紧的是明暗法。木刻只有黑白二色，光线一错，就一塌糊涂。现在常有学麦绥莱尔（Frans Masereel）的，但你看，麦氏的明暗，是多么清楚。

因为绘画的新技术的来到中国，还只有二三十年的历史。木刻艺术学徒，一般的说来，基本工夫的修养，是很不够的；这缺点，只要在刻画人物的时候就完全暴露了，而况还带着中国的文人画和西洋的印象主义的恶毒的遗传和感染呢。先前，最努力制作的"现代版画会"诸君，而以这恶毒的遗传和感染，当作好的，加以号召、宣扬、扩大，这不能不说是一个严重的错误。但后来也到底自觉了。可是在图画上的人物，面貌总是观念的，内容总是公式的。——这也是木刻界的一般的毛病——

给予观众的是单调、是呆板、是做作、是空虚。

虽则我在所谓“重见天日”之后，为了严厉的生活的鞭策，使我不再能够木刻，但也终究还没有忘记它。为什么的？一是因为我为了它而受过难，二是它已深深地埋在我的心里了。所以和鲁迅先生的通信里，总还常常要提起木刻的事情来。

今年夏天，听说木刻流动展览会，要到上海来举行展览了。当时我就去告诉他，并且还附去力群刻的叫我转给他的肖像。没有几天，回信又来了：

> 我对于现在中国木刻界的现状，颇不能乐观，李桦诸君，是能够的，但自己们形成了一种型，陷在那里面。罗清桢细致，也颇自负，但我看他的构图出于拼凑，人物也很少生动的。×君（按，即力群）给我刻像，谢谢，他没有这弊病，但他从展览会的作品上，我以为最好是不受影响。
>
> 版画的事情，说起来话长，最要紧的是介绍作品，你看柯勒惠支，多么大的气魄，我以

为开这种作品的展览会，比开本国作品的展览会还要紧。

但木刻流动展览会毕竟于十月六号，在青年会九楼开幕了。这的前五天，我就把请柬送了去，意思并不是邀他去参观，我晓得他的病是没有全好的，只是告诉他，叫他知道知道就是了。但谁知，竟在展览会的闭幕的一天，这一手栽培了中国木刻艺术的病了的老人，在大家的不意中，来参观了。他惦记着木刻，他要看一看这年青的孩子的面影。

他不赞成开这种展览会，然而这是他对于年青的木刻家在制作上的严肃的暗示！不然，他何必还要带着病来参观呢？他何必来看他自己一手栽培起来的这孩子的幼稚的面影呢？

在这次的展览会场上，鲁迅先生和艺徒们谈了许多话，贡献了许多关于木刻的基本上、技法上、修养上的宝贵的意见。他爱着，他惦记着木刻。

然而他回到家里，说，很疲乏了……

鲁迅先生所做的那两篇文章，就是《苏联版画展览会记》和《苏联版画集序》，是指示木刻艺徒们的此后走路的灯塔，是他对于木刻艺徒们的再三的叮咛，我们是不能忘记，也不可以忘记的。比如，他在《苏联版画集》的序言里，就这样的希望着：

> 这展览会（按，即苏联版画展览会）对于中国给了不少的益处；我以为因此由幻想而入于脚踏实地的写实主义的大约会有许多人。

“写实主义”是鲁迅先生历来对于文艺的一贯的意见，也是我们所应该而且一定要达到的。你没有看见他接着就这样的写道吗？

> 我觉得这些作者，没有一个是潇洒、飘逸、伶俐、玲珑的。他们个个如广大的黑大的化身，有时简直显得笨重，自十月革命以后，开山的大师就忍饥，斗寒，以一个廓大镜和几把刀，不屈不挠的开拓了这一部门的艺术。这回虽然已是复制了，但大略尚存，我们可以看见，有

那一幅不坚实，不恳切，或者是有取巧，弄乖的意思的呢？

凡这些话，木刻艺徒们都应该牢记，加以深思。因为这是他所针对着我们的毛病——在木刻界盛行着一种在制作上恶劣的倾向——而说的。“依傍和模仿”，那里能够产生“真艺术”？

但和别的一样，苏联的木刻大抵是中国的木刻者的最好的榜样。鲁迅先生在《苏联版画展览会记》里说：

版画之中，木刻是中国早已发明的，但中途衰退，五年前从新兴起的是取法于欧洲，与古代木刻并无关系。不久，就遭压迫，又缺师资，所以至今不见有特别的进步。我们在这会里才得了极好，极多的模范。

八

苏联的木刻也真有我们“极好”，“极多”的模范，我们是不能忘记鲁迅先生的提示的。因为这，我就天天盼望着他自印的代替《引玉集》而出版的《拈花集》，因为他在今年的三月中就告诉了我了：

> ……《引玉集》……再版完后，不再三版了。现在正在计划另一本木刻，也是苏联的，约六十幅，叫作《拈花集》。

然而已经来不及，他，我们的伟大的导师鲁迅先生，在十月十九日的清晨，离开了我们，悄悄地辞世了。

我那里想到，在木刻展览会场上，成了他和我的最后的一面，他和木刻界的永远的诀别呢？

再也不能唤回我们的鲁迅先生了。

但他遗下的工作，关于木刻这一部分，还不止一本《拈花集》，还有《麦绥莱尔漫画集》和《E. 蒙克版画集》和《十竹斋画谱》三卷呢。

这是说，一个伟大的勤劳者，神圣的工作这一欲念的火把燃烧了他，直到他要停止呼吸的时候，还不肯歇手！

但当我们尚未看见那代替《引玉集》、《拈花集》的时候暂且再翻开《引玉集》来看看吧。可不要不看那《后记》，尤其是要看《后记》的末段：

> 我对于木刻的介绍，先有梅斐尔德的《士敏土》之图；其次，是和西谛先生同编的《北平笺谱》；这是第三本，……但目前的中国，真是荆天棘地，所见的只是狐虎的跋扈和雉兔的偷生，在文艺上，仅存的是冷淡和破坏。而且，丑角也在荒凉中趁势登场，对于木刻的介绍，已有富家赘婿和他的帮闲们的讥笑了。
>
> 但历史的巨轮，是决不因帮闲们的不满而停运的；我已经确切的相信：将来的光明，必将证明我们不但是文艺上的遗产的保存者，而且也是开拓者和建设者。

但也到底不能唤回我们的鲁迅先生了。全中国的青年艺徒们好像突然失去了他们的母亲——失去了我们的母亲了。我们将从此变成一个无告的孤儿，将在暗夜和别人的仇视里，会受到更大的磨折的吧？一定的！然而，“倘有慈母，或是幸福，然若生而失母，却也并非完全的不幸，也许倒成为更加勇猛，更无挂碍的男儿的”（《伪自由书·前记》）。何况，我们的母亲已用乳和血，抚养了我们七年，如力群新波等等，已能很会走路的了呢？……

但也到底不能唤回我们的鲁迅先生了！但我们要“铭记”他的遗言，不要忘记他给我们的再三的叮咛，我们这才能有更广大的前途。在走路的时候，我们要时时反顾，在鲁迅先生的精神底灯塔的光耀中，沉毅地前行。一面提防着路旁射过来的毒眼。

一九三六，十一，十八

附　鲁迅先生对于版画工作的年表

一九二九年：

《近代木刻选集》（1），《小引》并《附记》[选印画册。朝华社《艺苑朝华》第一辑。共十二幅。计有英国的惠勃（C. C. Webb）三幅，司提芬·蓬（Stephen Bone）一幅，达格力秀（E.Fitch Daglish）两幅；法国的哈曼·普耳（Herman paul）两幅；美国的富耳斯（C. B. Falls）一幅，华惠克（Edward Warwick）一幅；意大利的迪绥尔多黎（Benvenuto Disertori）一幅；瑞典的麦格努斯·拉该兰支（S. Magnus-Lagercranz）一幅]。

《近代木刻选集》（2），《小引》并《附记》[选印画册。朝华社《艺苑朝华》第三辑。共十二幅。计有英国的格斯金（Arthur J. Gaskin）两幅，杰平（Robert Gibbings）两幅，达格力秀两幅；法国的凯亥儿（Émile Charles Carlègle）两幅；德国的奥力克（Emil Orlik）一幅；美国的左拉舒（Wiliam Zorach）一幅；日本的永濑义郎一幅]。

《蕗谷虹儿画选》并《小引》（选印画册。朝华社《艺苑朝华》第二辑。日本蕗谷虹儿作，计十二幅）。

《比亚兹莱画选》并《小引》[选印画册。朝华社《艺苑朝华》第四辑。比亚兹莱（Aubrey Beardsley 1872—1898）作，计装饰画十二幅]。

一九三〇年：

《新俄画选》并《小引》[选印画册。朝华社《艺苑朝华》第五辑。计有十二幅。克林斯基（Krinsky）三幅，克斯加夫（Gastev）一幅，法复尔斯基（V. Phavorsky）木刻一幅，未详作者木刻两幅，保夫理诺夫（Pavulinov）木刻一幅，央南珂夫（I.Annankov）一幅，克鲁格里珂跋女士（E. Kruglikova）两幅，古泼拉诺夫（N. Kupreano）木刻一幅]。

《梅斐尔德木刻〈士敏土〉之图》并《序》[自造画册。德国梅斐尔德（Carl Meffert）木刻十幅，珂罗版印。今绝版]。

一九三一年：

木刻讲习会（讲师内山嘉吉先生，鲁迅自任翻译。学员十三人，计时一星期）。

一九三二年：

第一次珍藏版画展览会。

地点：狄思威路，北四川路，上海购买合组，日语学会。

出品：苏、法、德等国。

《“连环图画”辩护》(《南腔北调集》)。

一九三三年：

第二次珍藏版画展览会。

1. 第一展览会场

地点：北四川路，千爱里，四十五号。

出品：德、苏、法等国。

2. 第二展览会场

地点：老靶子路，海能路，日本青年会。

出品：苏、法、比、西、葡、美等国。

《北平笺谱》并《序》(与西谛合印，共六卷，为保存中国固有之木刻而印造，由北平木刻名手复制。今绝版)。

《十竹斋画谱》(与西谛合印，共四卷。非卖品。此亦为保存中国固有之木刻而印造，由北平木刻名手复制。因工程浩大，至今仅出一册，余在刻制中)。

《一个人的受难》并《序》[选印画册。良友图书公司印行。麦绥莱尔（Frans Masereel）木刻连环图画之一。共三十五幅]。

《创作木刻法序》(《南腔北调集》)。

《论翻印木刻》(《南腔北调集》)。

集选中国新兴木刻世界流动展览会作品（此展览会为法国 V.U. 之女记者所主催。曾于巴黎、柏林、莫斯科展览，备受欢迎。此为中国现代木刻与西欧人氏第一次的接触）。

一九三四年：

《引玉集》并《后记》(自造画册。刻者都是苏联的名家。共六十幅。珂罗版精印。今绝版)。

《木刻纪程》并《前记》(自造画册。作品出于中国现代木刻艺徒的手笔。借用原版印行，共二十四幅。今绝版)。

选印《译文》月刊插图。

一九三六年：

《苏联版画展览会记》(刊于二月二三日《申报》第三版。后为《苏联版画集》的序言之一部)。

《苏联版画集》并《序》（选印画册。良友图书公司印行。此为苏联版画展览会出品的结集，共一百五十九幅。作家约五十左右。内有木刻、铜刻、石刻、独幅版画等）。

《死魂灵百图》并《小引》（自造画册。橡皮版精印。俄 A. Agin 绘，培尔那尔特斯基（Bernardski）刻。此为果戈里（Gogol）诗篇《死魂灵》的插图，共一百零五幅。并附梭可罗夫（P. Sokolov）插图十二幅）。

《凯绥·珂勒惠支版画选集》并《序目》（自造画册。依原拓本及艺术护卫社印本画帖，用珂罗版精印。德国凯绥·珂勒惠支夫人（Kaethe Kollwitz）作。计有木刻两幅，石刻六幅，铜刻十五幅。自造印版已绝，此后由文化生活出版社印行）。

《E. 蒙克版画选集》（选印画册。文化生活出版社印行）。

《麦绥莱尔漫画选集》（选印画册。文化生活出版社印行）。

遗作：

《拈花集》（自造画册。苏联木刻，约六十幅）。

鲁迅主义底永远的敌人

欧阳山

《阿Q正传》研究

从皇帝到狗的精神状态，性格，所信奉的主义底结晶在一个中国农民身上开放了灿烂的花丛，阿Q跑到人间来了。骄傲的阿Q如果在人数比上不曾代表了中国人民底绝对多数，他绝不轻易随随便便到人间来的。他代表了统治者全部，帮闲的知识者全部，冷酷的小市民全部，和农民，流氓无产阶级中间落后的一大部分；他底天才的创造者鲁迅先生当创造他的时候不过一个人，后来是所代表的人数也逐渐显明而增加了，但仍然是极少数而且差度极大，远不如阿Q底臣民那么纯粹和一致，因为那里面有许多还是从阿Q底灵魂底掌握中夺取过来的。

十六年前中国的读书界传播着那么有名的精警的伟大的句子，如像：

> 我总算被儿子打了，现在的世界真不像样……
>
> 阿Q以为他要逃了，抢进去就是一拳……
>
> 我手执钢鞭将你打！……
>
> 他以为人生天地之间，大约本来有时要抓进抓出，有时要在纸上画圆圈的……
>
> ……他意思之间，似乎觉得人生天地间，大约本来有时也未免要杀头的。
>
> ……他不过以为人生天地间，大约本来有时也未免要游街要示众罢了。

现在这些句子——和他底全部著作一道，仍然是那么有名，精警而伟大，而且流遍了全世界了。他希望它们“速朽”——用意非常显明，但中国人底缓慢的步伐却使它们不朽；集合了一个民族底智慧的作品即令自愿腐朽也是不能够的。

了解他底每一篇作品应该和他底全部著作一道当作一个整体去了解，对了，这非常重要。我们读他底只有一二百字的文章，或仅仅偶然想起他底一句话，我们便立刻看见他永远活着站在我们眼前，带着他一生的光辉的战绩和坚强、慈爱、严肃的笑貌。

阿 Q 型

从一九一二到一九二一年的近十年间，即是辛亥革命到鲁迅先生做成他底《阿 Q 正传》的十年间，中国政体在名目上是变革了，社会改造家鼓吹起种种的新思想来了，而纯粹的中国人民还一面受着帝国主义底迫害，一面生活在几乎没有起过波澜的封建思想里。“静修庵革命事件”是这样的“革命”底具体说明。

封建精神既然烟雾一般弥漫着乡村、市镇、商埠、官衙、营盘和学校，于是人们便顽固、守旧、苟安、迷信而无赖、异常看重宗族势力，毫无缘由地遵守着一切愚蠢的忌讳，并且实践着以女人为牺牲的男性自私主义。

这种封建精神培养着千千万万人底异常可笑的劣等的矛盾性格。一方面，嗜好着全无根据的即使是恶意的捧场，经常做出非分的自大和浮夸，尊敬自己而轻蔑别人，切实相信着以侥幸心理做根据地同时是缓冲地的没出息的定命论，而在任何场合对任何人物，遗忘了真理，杀死了同情，一律是幸灾乐祸。——不错，幸灾乐祸。这是鲁迅最爱描写的主题之一。人们老是把别人底不幸，愁苦凄惨的祸事当作毫不动情的笑乐的资料这件事，我有充分的证据可以断定曾经令那样坚强的斗士感到过悲观。

在和上面所举的几点相反的另一方面，人们又保持着衰弱萎靡，不可理解的矛盾的习惯，即是自轻自贱自虐，易忘身受的耻辱而常常做“退一步想”。

遇到敌人了——这是苦恼然而无法避免的，他们坚持着败北哲学所规定的卑鄙主义。对于这种人，英雄的固定的姿势和战法是没有的，专门吃软不吃硬地挑选可以欺负的窍穴，口讷的他便骂，气力小的他便打，没有御用杂志的他便笔战。打败了，他便记起“君子动口不动手”的格言而一方面自居君子一方面以“讲理”做遁形的符咒。他们，总而言之是抵赖，欺善怕恶而对较弱者却异常残酷。

更值得纪念的鲁迅先生底发现——也更值得研究的，是“精神文明”和“精神胜利法”，这使阿Q一步登天跃上了统治哲学底权威底宝座。

“精神胜利法”从“我总算被儿子打了”或更早以前开始，像血脉一样贯通了阿Q全身和《阿Q正传》底每页；而关于“精神文明”鲁迅先生明白地说了：

> 有人说：有些胜利者，愿意敌手如虎、如鹰，他才感得胜利的欢喜；假使如羊、如小鸡，他便反觉得胜利的无聊。又有些胜利者，当克服一切之后，看见死的死了，降的降了，“臣诚惶诚恐死罪死罪”，他于是没有了敌人，没有了对手，没有了朋友，只有自己在上，一个，孤另另，凄凉，寂寞，便反而感到了胜利的悲哀。然而我们的阿Q却没有这样乏，他是永远得意的；这或者也是中国精神文明冠于全球

的一个证据了。(第四章:《恋爱的悲剧》,《呐喊》一三四页)

这么响亮有力的人性底悲剧的宣言，在中国，在鲁迅先生以前，我们没有听见过。如果不是在做梦，阿Q时代诚然已经死去，这宣言便该喑哑了喉咙，为什么如今不管我们把它投下中国随便那一个角落，它还会发出轰震的像炮和雷一般的巨响呢?

鲁迅先生用了对于已经腐烂的存在物的可惊的知识，对于苟延残喘的封建文化和全部学问底辨解力，精细的结构和出奇的独创的艺术手腕创造阿Q。鲁迅先生任由奔放的，不静止，不凝滞的海洋一般的天才，背负山岳一般的雄伟的魄力和对人类无限舍身的热爱，地心之火底喷发，孔道一般的眼睛所发出的凄厉的沉痛的惨笑创造了阿Q。

反抗一切传统的势力和精神的孤立人

灯柱孤立在荒岛和礁石上面被凶险的波涛嘲笑、咒骂，但他们不能淹没他底光明。他是孤立的，他底同伴在远远的天界之外，也是孤立的。他以孤立的永不熄灭的火光拯救了千千万万的行旅。

同样，使鲁迅先生孤立而又不能不果毅地负起拯救中国底重责的是辛亥革命底猴子化装一样形式的转移。他是一个政治家或是一个思想家，一个诗人或一个武士，他全会做出惊人的事业来。辛亥革命在中华民族命运底历史的分叉点上看来（虽然不过是形式的转移）那意义是极其伟大的，但从有名无实的皇室统治交代给内容和形式合一的割据的封建军阀统治，却不能不使一个稀有的天才立刻伸手指出，这不是一种成功的“收场大吉”，而不过恰好是一种革命的开始。

城里的举人老爷和村镇的秀才攀亲，镇上的土劣都把辫子收藏起来，一班假洋鬼子胸前都挂上白银桃子——所有的榨取阶层底安宁生活都由晃荡不定而终于起了波澜，革命到来了。

在中国，犹如英国某政论家对辛亥革命后四分之一世纪的去年的“两广事件”所断言的一样，激烈的抗战是不会有的。也没有如法国大革命和俄国大革命那样疯狂残暴的报复行为。假如没有鲁迅来给它画出一个准确的轮廓，像“静修庵事件”和城里的革命党，那么我们将永远不知道中国也和世界上别的国家一样有过一回民主思想的革命了。

阿Q——和保持封建精神，具有矛盾性格，信奉卑鄙主义的他底真正的血统一道，怎样发挥他们底确保优胜的保护色作用又仓忙不迭地来迎接革命呢？鲁迅毫不隐讳地指出了他所洞察的真理：他们对革命无知而认识又完全错误，他们深恶革命然而立刻着手利用革命这被他们底思想和性格所确定的必然的结论。

阿Q被他们自己的真正的血统所枪毙了，他一生的非意识的活动终结了。十几年以后他并且有那样的殊荣被一个理论家重新枪毙了一次。

然而阿Q并没有死。即令以鲁迅那样的战斗力和他战斗了几十年他还是没有死。《阿Q正传》所做的结论并没有停止了指导的任务。

由于那鲜明的结论所指示，我们知道对革命无知而认识又完全错误，深恶革命然而立刻着手利用革命的不止阿Q一个人，成功了，把革命利用得巧妙而安稳的，重新站上统治地位的是举人老爷、把总、假洋鬼子、赵秀才这一伙。

他们这一伙——《阿Q正传》里的全部人物，《阿Q正传》外的全部阿Q血统——除了衣服相貌年龄姓名以外都无限增加着存在的阿Q底广大的普遍性。

在未庄，人们重视宗族势力（倘在上海则是宗派主义了），但一得了势却也不认亲戚。人们施行着点灯舂米式的压榨，地保强索酒钱和孝敬钱式的压榨，但一面小心窗门，一面收买赃物。人们冷酷地看着别人的打架，但对于略有些醒目的人物，就“与其慢也宁敬”。人们全有着麻木的灵魂，不能信任真理也不能信任虚伪，但以势力为转移，就是信任势力。而最可痛恨的是：以别人底不幸做自己笑乐的资料。——这我在前面已经提到过，是《阿Q正传》底第二结论。

若以鲁迅先生所指定的特殊的阿Q和其余触目皆是的普遍的阿Q（绝不限于农民）比较，我想鲁迅先生是“与其憎也宁爱”的。阿Q固然曾经以为假洋鬼子——那“里通外国的人”底老婆不跳第四回井，也不是好女人，但是请看阿Q游街示众时和阿Q被枪毙以后的那

使人颤栗惊悚的两段吧(《呐喊》一八五——一八七页):

> 这刹那中，他的思想又仿佛旋风似的在脑里一回旋了。四年之前，他曾在山脚下遇见一只饿狼，永是不近不远的跟定他，要吃他的肉。他那时吓得几乎要死，幸而手里有一柄斫柴刀，才得仗这壮了胆，支持到未庄；可是永远记得那狼眼睛，又凶又怯，闪闪的像两颗鬼火，似乎远远的来穿透了他的皮肉。而这回他又看见从来没有见过的更可怕的眼睛了，又钝又锋利，不但已经咀嚼了他的话，并且还要咀嚼他皮肉以外的东西，永是不远不近的跟他走。
>
> ……
>
> 至于舆论，在未庄是无异议，自然都说阿Q坏，被枪毙便是他的坏的证据；不坏又何至于被枪毙呢？而城里的舆论却不佳，他们多半不满足，以为枪毙并无杀头这般好看；而且那是怎样的一个可笑的死囚呵，游了那么久的街，竟没有唱一句戏：他们白跟一趟了。

因为阿Q虽然也犯罪，但那是属于非意识底的，罪恶底意味不及意识地犯罪者深而明；论个人，阿Q比未庄上其余的人都好，他没有诡计，也不吝啬。

关于采用南边一个鼻子，北边一对眼睛来创造小说里的人物，鲁迅先生在某一本书里给过我们一点启示，而关于怎样创造阿Q底复杂的头脑他却不讲。

阿Q是东方文化底代表人，一切东方的嗜好、兴趣、习惯、思想都深藏在他底脑筋里，因此规定了一切愚顽、无知、卑鄙的行动，阻碍对于世界的进步思想的了解和接受，并结合了一切反动的传统的势力和精神。西方的人物在思想上最初鄙视和憎恶这种活人和民族，但由于多年经商的经验，他们反而改变了态度成为欢喜和颂扬，只怕中华民族有一天要失去这种良好的品格了，因为没有一个商人会喜欢和颂扬自己的聪明的主顾的。

这许许多多的阿Q底传统的势力和精神正铸合成一间绝无窗户而万难破毁的铁屋子，像海洋和空气包围着大陆一般包围着中国，而中国底《阿Q正传》里所没有的新兴阶层还十分幼小而软弱，才刚刚伸出头来，于是鲁迅先生感到未尝经验的无聊，悲哀和寂寞了，一直到他碰到也正感到寂寞的《新青年》之群。

把辛亥革命认定是一种革命底开始，毅然承担了历史使命，要来扫除帝国主义和一切传统的势力和精神的新兴阶层那时还不曾成长，于是鲁迅先生决定自己迎战了。在一个短短的期间中他完全成为一个孤立的人。

鲁迅主义

这时候年轻的阶层长大了，足以担负起伟大的革命的任务了。它有了丰富的气力和精神的武装和一切欧化的科学的技术，足以向正面的敌人挑战，并且嘲笑另一降生更早的但不久就害了瘫痪症的阶层。

这伟大的人类底信号一从中国发送，鲁迅先生就与它合流了，这不相为谋的两方面的道却是相同的。把一切丑恶的东西从中国赶出去，——不管那是几千年来在中国早就生了根或是近百年来才发现的，让我们勇敢而快活地生活着，让我们创造全新的和中国一切传统的势力和精神绝缘的文化，原来都是鲁迅先生开始战斗时所明白表示的主张和要求。

鲁迅先生底敌人增加了，战友增加了，战线也延长了，但这时候仍然他发现了他底老朋友，那手下败将阿Q出没于敌方或甚至可哀地，混进自己的战线里，这使他好笑，高兴，然而也无聊。——他早已不把阿Q当作惟一的战斗对手了。

他做了许多的苦工，参加了大大小小的战役，他常常鼓励年轻人做种种工事并教导他们坚强勇猛的战斗意志，但他自己却像老于捉蛇的有瘾的人一样，有时随手一捞就捉起一个活蹦蹦的阿Q。阿Q累积了多年被捉的经验，学习了各种的化装术，没有在未庄时那么好相与，易于欺负，且容易混过青年们底眼睛，有时只有鲁迅先生才认得他了。

攻击阿Q和他底变动的相貌，变种的血统，摧毁一切传统势力和精神底堡垒，是贯通鲁迅先生一生事业底源头长远的泉流。胜利哲学的鲁迅主义是败北哲学的阿Q主义底永远的敌对。

我曾经说一个文学者底思想常常是他终身的东西而招到了非难，我实在不知道我底话为什么会是谬误的。其实是如此，一种伟大的思想必定是思想者终身的信仰和终身的实践底化学底结合。胜利的赫赫有光的鲁迅主义底创造者怎样规定他底人生哲学和科学的战斗的世界观相一致呢?

对这个问题我们可以做如下的解答:

切实地探究了存在的真实——榨取方式，意识形态，矛盾底斗争，精神底向下状态，冲突着的阶层的各自的痛苦，外来的，对固有物加以无情的灼炙使之起剧烈运动而呈现可惊的变化的民主思想等等，鲁迅先生创造了消极的典型人物阿Q，而使自己一生的一举一动和阿Q完全相反，一秒钟也不松懈地对抗着自己的俘虏。

他在任何场合打击宗派行帮主义（宗族势力在都市里采取的形式），他说话毫无忌讳，他以他底急进、勤劳、严肃、科学精神、对真理的服从，反抗国粹的守旧、苟安、无赖、迷信、顽固。为反对以女人为牺牲的男性自私主义，他尊敬女性——尤其当那是一个遭屠杀或酷刑的女性，援助女师大的学生运动，向《现代评论》展开了长久的斗争。

他绝对摈斥别人的捧场，退还“思想先驱”的王冠，而且切实指明一切的捧场不过如“阿Q真能做”式的别有用意。他常常把自己放在一个渺小的地位里和恶霸们对抗，他非常尊敬别人的努力，事业，或简直不足称道的小小的成功。他反对侥幸心和定命论，以为希望任何意外的获得是愚蠢的事，但工作——苦苦的工作可以改造人类和所有的一切。“幸灾乐祸主义”令他伤心，他同情任何人所碰到的即使很轻微的疾病和损害，好像一个专门顾问似的细心解答别人一切烦难，而当别人得到少许的快乐的时候他比别人加倍地高兴。

他绝不自轻自贱自虐，他是自重自尊自爱的；他不能忘记任何耻辱，也不宽恕任何敌人，不做“退一步想”而总在做着“进一步想”，所以他只知道前进而不知道后退。

于是我们就讲到鲁迅先生最精粹的地方来了，那是他底对抗卑鄙主义，使多少“英雄豪杰”垂头丧气，唏嘘叹息的强硬主义。

我重复一次，卑鄙主义集合了精神文明，精神胜利法，抵赖，欺善怕恶，以讲理做护符，对弱者异常残酷，——攻人之弱，乘人之危这些特点而成立，鲁迅底强硬主义的行动就和它完全相反。

表现在他底全部著作和事迹中，我们知道他把中国传统的唯心的衰萎现象激烈地颠覆了。嘲笑精神文明以及“公理战胜”，唾弃精神胜利而宁可保存名义上吃亏的实际胜利。不但不抵赖，不能“莫管他人瓦上霜”地生活下去，而且相反地常常被俗人看作“自寻烦恼”地代人负责，这时候责任有多大，会使他碰到如何的困难和损害，完全被他抛弃在考虑点之外。他选择敌人常常选择最恶辣，“如虎，如鹰”的一类而放过小鸡和羊，他以最高的智慧，尖锐的眼光，忠诚的利害判断决定了他底敌人而进击，在该用拳头的时候就用拳头，绝对不做烦琐的冗谈或哓哓的辩解，而被他认定做攻击目标的处所又必然是敌人最强的，集中精锐的一点。

旧人道主义者有时也帮助弱者，怜悯他们，不过那限度被制定得非常狭小，只在使弱者不太难堪。鲁迅先生底帮助弱者的目的是在打倒那残暴的强者，不使有第二个弱者出现，因此他底帮助常常是无端的，过量的，出于身受者意料之外而且使他惊讶的。

但是以上这一切，是他故意的，机械的，矫情的行为么？不，如果是那样，他就一件像那样的事情也做不出来了。他和阿Q之间完完全全地存在着自然的本质的对立。

“这是尼采主义的思想呵！”阿Q这样叫了。

因为尼采思想是中国民族最厌恶，最不相容的暴汉主义和狂人主义，和在俄国，人们把“讨厌的”高尔基称呼做尼采主义者的狡计是一模一样的。请看他们之间有着怎样的被明哲的人们承认的“相同”之点吧：

尼采保荐他底超人给少数的榨取阶层的卑怯人物做打手去了，而——他，鲁迅底内容在于把一切和阿Q对抗的气力、人格、和成果都结算在劳动大众的胜利里。

这样，和阿Q主义和尼采主义对抗，我们把它称呼做鲁迅主义。

一月十六，一九三七。

三联经典文库第二辑简目

《游击战教程》　明凡 / 著

《游击战术纲要》　陶剑青 / 编著

《汪精卫卖国的理论与实践》　钱俊瑞 / 著

《抗战以来》　韬奋 / 著

《陕行纪实》　楚云 / 著

《随军散记》　沙汀 / 著

《被日寇囚系半载记》　王研石 / 著

《倭营历险记》　房沧浪 / 著

《活跃的新西北》　田影 / 编著

《保卫华北的游击战》　刘清扬　陈北鸥等 / 著

《徐州突围》　《徐州突围》编委会 / 编

《沦亡的平津》　长江　小方等 / 著

《淞沪火线上》　胡兰畦等 / 著

《瞻回东战场》　长江　罗平 / 著

《东线的撤退》　胡兰畦等 / 著

《抗战中的西北》　徐盈 / 著

《鲁闽风云》　徐盈等 / 著

《西线生活》　西北战地服务团集体创作

《中国解放区见闻》　［美］福尔曼著 / 朱进译

《全面抗战论》　潘汉年 / 著

《日本的间谍》　范士白自述 / 尊闻译

《日本大陆政策的真面目》　国难资料编辑社 / 编

《民众动员论》　李公朴 / 著

《中国外交史》　钱亦石 / 编著

《太平洋军事地理》　蒋震华 / 著

《世界经济地理讲话》　思慕 / 著

《列强军力论》　［德］马克斯 · 威纳尔著 / 宾符　仲持　梅益等译

《近代国际关系史》　张铁生 / 著

《太平洋现势手册》　沈志远　石啸冲 / 编著

《近代世界政治史》　钱亦石 / 著

《从战争到和平——一九四五年的世界政治》　乔木 / 著

《战后日本问题》　思慕 / 著

《最近一年间的国际动态（1946.7–1947.6)》　《东北日报》社 / 编

《论政党》　翟放 / 著

《法与宪法》　韩幽桐 / 编著

《中华民国宪法刍议》　罗家衡 / 著

《民主 · 宪法 · 人权——作之民》　费孝通 / 著

《宪法论初步》　潘念之 / 著

《对反民主的抗争》　韬奋 / 著

《农村改进的理论与实际》　江恒源 / 著

《上海产业与上海职工》（上下）　　朱邦兴　胡林阁　徐声 / 合编

《陶行知教育论文选辑》　　陶行知著 / 方与严编

《中国通货膨胀论》　　杨培新 / 著

《中国及其未完成的革命》　　H·普拉特著 / 蒋天佐译

《中国的建设问题与人的训练》　　卢作孚 / 著

《论中国特殊性及其他》　　艾思奇 / 著

《中国经济问题讲话》　　钱俊瑞　徐雪寒　王渔邨　姜君辰　骆耕漠 / 合著

《中国经济的道路》　　许涤新 / 著

《中国财政之病态及其批判》　　孙怀仁 / 著

《官僚资本论》　　许涤新 / 著

《五四运动之史的评价》　　陈端志 / 著

《中国通史简编》（上下）　　中国历史研究会　范文澜 / 主编

《论文学的工农兵方向——读〈在延安文艺座谈会上的讲话〉》　雪苇 / 著

《中国近代史（上编　第一分册）》　　武波 / 编著

《文学百题》　　傅东华 / 编

《中国史学之进化》　　周谷城 / 著

《论民族形式问题》　　胡风 / 著

《论批评》　　荃麟等 / 著

《中国史纲》（第一卷上下、第二卷上下）　　翦伯赞 / 著

《近代中国思想学说史》（1–4）　　侯外庐 / 著

《中国政治思想史》（上下）　吕振羽 / 著

《中国哲学史纲要》　向林冰 / 著

《中国政治史讲话》　钱亦石 / 著

《中国社会经济史纲》　王渔邨 / 著

《新财政学大纲》　千家驹 / 著

《太平天国革命运动论文集——金田起义百周年纪念》

华北大学历史研究室 / 编

《理性与自由——文化思想批评论文集》　胡绳 / 著

《战斗者的诗人》　黄药眠 / 著

《国语文法》　曹朴 / 著

《教育哲学》　张栗原 / 著

《妇女问题讲话》　杜君慧 / 著

《婚姻 · 子女 · 继承》　沙千里 / 著

《性教育新论》　布士克　雅各生合著 / 董秋斯译

《狱中杂感》　杜重远 / 著

《七人之狱》　沙千里 / 著

《爱迪生传》　伍况甫 / 译

《歌德自传》（上下）　歌德著 / 思慕译

《尼赫鲁自传》　［印度］尼赫鲁著 / 毕来译

《列宁传》　［苏］凯尔任采夫著 / 企程　朔望译

《罗斯福总统传》　C. Mackenzie 著 / 张尚之译

《托尔斯泰传》（1–3）　［英］阿尔麦 · 莫德著 / 徐迟译

《革命文豪高尔基》　［美］亚历山大·康恩著 / 韬奋编译

《鲁迅纪念特辑》　新中国文艺社 / 编

《回忆鲁迅先生》　萧红 / 著

《人民文豪鲁迅》　平心 / 著

《亡友鲁迅印象记》　许寿裳 / 著

《鲁迅思想研究》　何干之 / 著

《鲁迅研究》　夏征农 / 编

《过来的时代：鲁迅论及其他》　雪峰 / 著

《电影戏剧表演术》　洪深 / 著

《日常心理漫谈》　［美］约瑟夫·查斯特罗著 / 曾宝葹译

《心理常识漫话》　朱智贤　杨云美 / 著

《读书的方法与经验》　王任叔 / 著

《美国黑人生活纪实》　［美］加德维尔　斯坦倍克著 / 董秋斯译

《初访美国》　费孝通 / 著

《事业与成功》　［美］马尔腾著 / 汪原放译

《萍踪寄语（初集）》　韬奋 / 著

《一生的幸福前途——〈生活周刊〉信箱选集》　生活书店 / 编选

《深刻的印象》　生活周刊社 / 编

《海外的感受》　生活书店编译所 / 编

ISBN 978-7-108-04598-0
9 787108 045980 >
定价：27.00元